SCIENCE FICTION

Herausgegeben
von Wolfgang Jeschke

Von Konrad Fiałkowski erschienen außerdem in der Reihe
HEYNE SCIENCE FICTION & FANTASY:

Allein im Kosmos (06/3566)
Homo Divisus (06/3752)

KONRAD FIAŁKOWSKI

ADAM, EINER VON UNS

Science Fiction-Roman

Originalausgabe

WILHELM HEYNE VERLAG
MÜNCHEN

HEYNE-BUCH Nr. 06/3934
im Wilhelm Heyne Verlag GmbH & Co. KG, München

Titel des polnischen Originals
ADAM, JEDEN Z NAS
Deutsche Übersetzung von Hanna Rottensteiner
Das Umschlagbild schuf Keith Page

Redaktion: Wolfgang Jeschke

Printed in Germany 1982
Umschlaggestaltung: Atelier Heinrichs & Schütz, München
Satz: Schaber, Wels/Österreich
Druck und Bindung:
Mohndruck Graphische Betriebe GmbH, Gütersloh

ISBN 3-453-30859-X

I. Kapitel

Als er auf die Terrasse hinaustrat, hatte sich die Sonne schon rot verfärbt und berührte fast die Gipfel der Berge. Die Glut des Tages hatte nachgelassen, aber der abendliche Wind war noch nicht aufgekommen, und er spürte in der Luft den duftenden Rauch der Herdfeuer der Stadt, auf denen man jetzt das Abendessen zubereitete. Die Stadt fiel zum Fluß hin terrassenförmig ab. Von seinem Platz hoch oben blickte er über enge Gassen, Dächer und weiße Mauern, die aus dem Gestein der Berge der Umgebung erbaut waren. Er sah zu den Bergen hin, wo die Häuser nicht mehr zu sehen waren und sich im Grün der Olivenhaine verloren, das in der heraufziehenden Dämmerung langsam verschwand.

Er dachte daran, daß ein weiterer Tag seines Aufenthaltes hier in dieser Stadt und auf diesem Planeten verflossen war, und daß von diesen Tagen nicht mehr viele übrig waren. Er hörte Schritte, das Geklappere von Holzsandalen auf der steinernen Terrasse, und wußte, daß sich ein Mann näherte, den er erwartete. Er wandte sich um und erblickte den bekannten Umriß im langen grauen Mantel, das Gesicht mit den dunklen Augen, die schwarzen Haare und den Bart mit den graumelierten Strähnen, die erst aus der Nähe zu erkennen waren. Hinter ihm ging im Halbschritt ein Soldat der Wache, der ihn von den Palasttoren hierher eskortiert hatte, denn das verlangte die Hausordnung, die er selbst einmal erlassen hatte. Der Soldat blieb in einer Entfernung von einigen Schritten stehen, und der Mann trat auf ihn zu.

»Seid gegrüßt, Proktor«, sagte er und neigte den Kopf.

»Sei gegrüßt, Kario«, erwiderte dieser und winkte dem Soldaten mit der Hand zu, der eine Kehrtwendung machte und sich entfernte.

»Betrachtet Ihr die Gärten?« fragte Kario.

»Ich blicke auf die Stadt hinunter. Aus dieser Entfernung sieht sie immer so ruhig aus.«

»Wenn dem so wäre, Herr, würde ich in meinem Kontor sitzen und nicht das Glück haben, mit Euch zu sprechen.«

»Nun, was gibt es Neues?«

»Admis, dem Ihr geruht, Eure Gunst zu schenken, hält sich in den nördlichen Provinzen auf . . .«

»Spricht man in der Stadt von ihm?«

»Nein, und ehrlich gesagt, verstehe ich es nicht. Alle müßten ihn doch kennen und seinen Worten lauschen. Sie sind so außergewöhnlich und so schön, daß uns die Tage unseres Lebens, die wir hier verbringen, sinnlos vergeudet vorkommen.«

Der Proktor lächelte und blickte den Mann im Mantel an.

»Glaubst du denn an ihn, Kario?« fragte er.

»Ich gehorche Euren Anweisungen, Herr, und erfülle sie mit Sorgfalt. Er weiß nichts davon und kommt nicht einmal auf den Gedanken, daß eine Quelle existiert, von der er und diese Leute, die sich um ihn scharen, Geld beziehen. Er läßt es sich nicht einmal träumen und das ist das Faszinierende an ihm.«

»Du hast mir meine Frage nicht beantwortet, Kario.«

»Die Antwort fällt mir schwer, Herr. Es fällt nicht leicht, an etwas zu glauben, was im Widerspruch zu allem steht, womit man aufgewachsen ist und wofür man gelebt hat. Aber es tut gut, davon zu hören.«

Der Proktor schwieg. Er dachte, daß vielleicht in dem, was er kürzlich von diesem Manne gehört hatte, die Erklärung für den bisherigen Mißerfolg des ganzen Unternehmens lag. Vielleicht war die Kluft zwischen dem neuen und dem bisher praktizierten Modell allzu groß? Er wußte, daß er sich darüber nicht schlüssig werden könne, und dachte bei sich, daß er seine Einwohner um so weniger verstünde, je länger er auf diesem Planeten lebte. Er setzte sich langsamen Schrittes die Terrassenbalustrade entlang in Richtung Gärten in Bewegung. Er sah die Kronen der dort wachsenden Dattelpalmen vor dem Hintergrund des sich schon verdunkelnden Himmels. Kario ging hinter ihm im Halbschritt her und drückte damit seine Hochachtung für den Statthalter des Imperators aus und unterstrich gleichzeitig damit seine Vertrautheit mit einer so namhaften Persönlichkeit.

»Und seine Anhänger . . .? Hat er neue Anhänger?« fragte er über die Schulter zurück.

»Immer die gleichen, Herr. Der Rest ist ein zusammengelaufener Pöbel.«

»Keine neuen?«

»Nein.«

»Sind deine Informationen, Kario, auch bestimmt zuverlässig?«

»Es sind keine anderen Informationen vorhanden, Herr, und die alten Völker wissen darüber Bescheid. Bloß . . .« — Kario geriet ins Stottern — »andere erinnern sich nicht immer daran.«

Er wollte sagen, die Barbaren, dachte der Proktor, und dann ist ihm eingefallen, daß er mich womöglich vor den Kopf stoßen und sich selbst damit um einen Kopf kürzer machen könnte. Armer Kario, er ist nicht einmal imstande einzusehen, welch grenzenloser Barbar er selbst ist, wie auch alle anderen Bewohner dieses Planeten. Und doch sind sie alle so einzigartig wie die Protuberanzen der Sterne, und gleichermaßen vergänglich und kurzlebig.

Sie näherten sich den Gärten, und er spürte den Duft exotischer Blüten, deren Kelche sich in der Dämmerung öffneten. Die Sonne verschwand schon hinter den Bergen, und nur eine winzige, flache, diskusförmige Wolke flammte noch im roten Glanz.

»Du hast unlängst Admis gesehen, Kario. Wie kommt er denn hier zurecht . . .« Er wollte sagen »auf diesem Planeten«, doch brach er ab, weil Kario doch nichts wußte und es nicht verstehen würde.

»Wenn der Mensch nur eine immerwährende Sehnsucht hat, ist er glücklich.«

»Ja, der Mensch . . .«

»Wovon sprecht Ihr, Herr?«

»Lassen wir das. Heb von meinem Konto in eurem Handelshaus das Geld ab und unterstütz ihn damit, so gut du kannst. Vergiß nicht die übliche Provision für dich.« Als jener schwieg, fügte er hinzu: »Du sagst nichts. Gehen denn meine Mittel langsam zur Neige?«

»Herr, Eure Mittel sind so unerschöpflich, daß ich sie, würde ich es wagen, mit dem Vermögen des Imperators selbst vergleichen würde. Es geht nicht darum. Ihr braucht mir keine Provision mehr zu zahlen, Proktor. Wenn ich Admis für Geld diene, fühle ich mich . . . unrein.«

»Ich erkenne dich nicht wieder, Kario. Deine Familie wäre nicht stolz auf dich.«

»Ich weiß, Herr, daß man auf diese Art und Weise keine Geschäfte betreibt, aber es wird doch die neue Ordnung kommen, die Admis verkündet, und dann wird mir alles vergolten werden. Das wird keine gute Zeit für die Reichen sein.«

»Mach, was du willst«, der Proktor zuckte die Achseln. Er dachte gleichzeitig daran, daß das Unternehmen wohlüberlegt war und sogar Früchte tragen würde, doch das erforderte die Zeit und die Mühe von Generationen, sehr viel Zeit, und darüber hinaus Menschen, die alles für die Verwirklichung opfern würden.

»Vergebt mir, Herr, meinen Fürwitz« — die Stimme Karios wurde leiser —, »ist Admis . . . Euer Sohn?«

»Mensch, deine Neugierde kann dich das Leben kosten. Gehe deinen Weg weiter und stelle nicht solche Fragen! Und nun laß mich allein und komm mit dem Bericht wie immer!« Er klatschte in die Hände und hörte das Klappern der Sandalen eines Soldaten, der über die Steinplatten der Terrasse lief. Kario verbeugte sich tief und ging. Der Proktor dachte, daß auf dieser Welt die engste vorstellbare Verwandtschaft die des Sohnes mit dem Vater sei, und lächelte vor sich hin. Dann blickte er noch einmal zum Garten hinüber, wo sich im Dämmerschein die Umrisse der Pflanzen verwischten und ein verflochtenes, graues Gebüsch bildeten. Am Himmel über dem Garten leuchteten die ersten Sterne. Er wandte sich von ihnen ab und ging langsamen Schrittes zum Palast, dessen weißer Klotz in der Düsternis noch sichtbar war. Beim Eingang brannten bereits die Öllampen. Die in den Arkaden stehenden Wachsoldaten erwiesen ihm die Ehrenbezeigung, und er trat in den mit weißem Marmor ausgekleideten Raum, dessen Wand zum Garten hin offen war und in dessen Mitte ein Springbrunnen eine Wasserfontäne in die Luft schleuderte. In den Nischen, hinter den Säulen aus Onyx, glimmten die Öllämpchen, und in deren Licht erblickte er Visa und den fragenden Blick ihrer großen hellen Augen. Er schüttelte verneinend den Kopf, da er noch vor dem Abendessen Kontakt aufnehmen wollte, und ging in sein Gemach. Es war nicht allzu groß und wie das Quartier eines Soldaten eingerichtet, nicht wie das eines Befehlshabers, der er hier war, und hatte ein Fenster, das in die Tiefe der Palastmauer zeigte. Nachdem er eingetreten war, tastete er eine kleine Wölbung an der Wand ab, eine Stelle, die ihm vertraut war, und nachdem der Automat seine Fingerabdrücke identifiziert hatte, schloß sich die Tür fest hinter ihm, so daß sie jetzt mit der Wand eine gleichmäßige Einheit bildete, die fester zusammengefügt war als die homogenen Wände, die mit dem Mörtel dieser Zivilisation zusammengefügt waren. Dann blickte er sich in der Kammer um und vergewisserte sich, daß er allein war, dann berührte er die gegenüberliegende Wand, die vor ihm verschwand. Es handelte sich um ein Kraftfeld, das eine Wand aus schweren Steinquadern täuschend imitierte und beim Ausschalten in einen feinen Nebel zerstäubte, der langsam verdampfte und den scharfen Geruch von Ozon hinterließ.

Jetzt war die Kammer doppelt so groß, und der zweite Teil war mit der Kontakt- und Transferapparatur gefüllt, samt Sessel und Helm. Seitlich an den Wänden waren die Pulte zur direkten Steuerung der Flotteneinheiten eingebaut. Er ließ sich im Sessel nieder und überprüfte die Energiezufuhr zum Apparat. Er dachte daran, daß all diese Einrichtungen nur dazu dienten, daß er, in die primitive Struktur des Menschen eingefügt, in den Zustand der Überzeitlichkeit eindringen könne, wo die Zeit weder als Begriff, noch als physikalische Eigenschaft der Materie existiert, wo Materie und Energie eine ununterscheidbare Einheit und ein Informationsträger sind, der er selbst war. Denn in den Kategorien der Zeit war er die ewige Zivilisation und der Kosmos selbst. Aus dieser Gestalt, in der er sich befand, konnte er keinen vollständigen Zustand von Überzeitlichkeit erreichen, weil die der angenommenen Struktur eigenen Kanäle zu eng waren und er nur mit sich selbst, mit seinem Muster, konvergieren konnte, das ja ebenfalls begrenzt war, weil er sich in den Schwingungsfeldern des Materiekristalls realisierte, der sich im Innern der diesen Planeten umkreisenden Schutzpanzer befand, in einer Kreisbahn ungefähr in der halben Entfernung zum Mond. Erst weiter entfernt befand sich die Überzeitlichkeit dieser ältesten Zivilisation, die eine Einheit ist und ihre mit ihr selbst identischen Äquivalente als von ihr ununterscheidbare Teile ausstrahlen kann.

Das war ihm bekannt, wenn er sich hier befand, doch begann er es auch zu fühlen, sobald er den Helm aufsetzte, dann hörte die Zeit zu existieren auf und nur eine Sequenzensprache simulierte sie, der er sich in dieser Struktur bedienen mußte.

»Du bist es, Adam«, hörte er, nachdem er den Helm aufgesetzt hatte.

»Ich bin es, Admus«, dachte er.

»Es ist schwierig, mit mir zu konvergieren, weil du immer anders bist.«

»Wie?«

»Anders ...«

»Informationsmäßig enger?«

»Ja, aber zugleich auch breiter.«

»Du bist doch ich selbst.«

»Ich bin du, und du bist ich, aber du bist außerdem Mensch.«

»Aber auch du.«

»Du bist breiter um die Informationen des Menschen, die ich nicht habe, weil sie nur Fluktuationen in der Zeit sind.«

Er verspürte die wachsende Intensität der Überzeitlichkeit, die Parallelisierung des Denkens, einen Augenblick von Überbewußtsein, und das war alles.

»Bis zum Kontakt, Adam«, hörte er.

»Bis zum Kontakt, Admus«, dachte er und legte den Helm ab.

Nun sind alle neuen Informationen schon zu einem Teil von Admus geworden. Er wußte auch mehr und begriff, daß sich das Unternehmen auf diesem Planeten hier seinem Ende zuneigte. Er wußte insofern mehr, als es das Informationsrauschen zuließ, das immer dann auftrat, wenn die Zeit in Erscheinung trat und die Überzeitlichkeit endete. Er erhob sich aus dem Sessel, ging in den anderen Teil der Kammer hinüber, das Kraftfeld schloß sich hinter ihm, und er war wieder der Statthalter des Imperators mit einem sonderbaren barbarischen Namen, der Herrscher über diese Stadt und die darin lebenden Menschen, wie auch über andere Städte und Dörfer, bis hin zur Wüste und zum Meer.

Er schob den Türvorhang seiner Kammer auseinander und blickte dort hinüber, wo der Springbrunnen plätscherte und Visa, die hellblonde Sklavin von einem der Barbarenstämme des Nordens, mit dem Abendessen auf ihn wartete.

Auf dem Tisch standen Schüsseln mit Nahrung bereit, und als er sich auf dem Lager niederließ, reichte ihm Visa einen Becher, den sie mit Wein aus einem ziegenledernen Schlauch gefüllt hatte. Der Wein war kühl, er war erst vor kurzem aus dem Keller heraufgeholt worden. Er kostete seinen bitterherben Geschmack, den er immer mit diesem Planeten assoziierte, denn nur hier gediehen jene wunderbaren Früchte, aus denen sich eine Flüssigkeit von einzigartigem Geschmack gewinnen ließ. Er hielt das für ein Symbol dieses Planeten, ein für seine Bewohner unerkennbares Symbol, das in seiner Art doch unverkennbar war.

Anschließend zog sich Visa in den Schatten hinter den Säulen zurück, wo sie kein Licht einer Öllampe mehr erreichte. Auf den linken Ellbogen gelehnt, die Brust zum Tisch hin gewandt, blickte er in die Dunkelheit hinter dem Brunnen hinaus, wo nur hin und wieder die vom Garten hereinfliegenden Käfer aufleuchteten.

Er aß niemals viel, bloß so viel, als der Körper, den er trug, erforderte. Derjenige, der ihm diesen Körper zur Verfügung gestellt hatte, ein Soldat, Politiker und Reiter, hatte mit Sicherheit weitaus mehr gegessen, und die Spuren davon merkte er manchmal an den unkontrollierten Neigungen der autonomen Systeme dieses Organismus, den er in vielen Jahren zu steuern gelernt hatte. Er gab Visa ein Zeichen, und diese füllte abermals seinen Becher. Wie sie so gebeugt dastand, spiegelte sich das Licht der Lampe in ihren hellen Haaren, und er verspürte eine undefinierbare Unruhe, die, wie er wußte, von den autonomen Systemen des Organismus, in dem er sich befand, ausging.

»Wie lange bist du schon hier, Visa?« fragte er.

»Bei Euch, Herr, drei Jahre.«

»Und vorher?«

»Ich war beim Kaufmann Hafaga in der Stadt.«

»Ist es dir dort gut gegangen?«

»Bei Euch, Herr, geht es mir besser, denn ich diene dem ersten Mann in der Stadt und der ganzen Provinz.«

»Und bist du glücklich?«

»Ja ..., nur manchmal«, sie sah zu ihm hin, ohne den Kopf zu heben, »bin ich traurig.«

Er schwieg, und sie glaubte offensichtlich, daß sie ihn verletzt hatte, denn sie fügte schnell hinzu:

»Dort in der Stadt gab es mehr Menschen, hier dagegen gibt es nur ungehobelte Soldaten und hohe Beamte, die solche wie mich nicht einmal beachten.«

»Du möchtest also dorthin zurückkehren.«

»Nein, Herr. Ich werde bei Euch bleiben, wenn Ihr es erlaubt. Ihr, mein Herr, seid gütig.«

»Hörst du das alles, was die Leute in der Stadt über mich reden ...?«

»Ich weiß es, Herr, aber es ist alles nicht wahr. Sie kennen Eure Soldaten, aber nicht Euch.«

»Meine Soldaten führen meine Befehle aus.«

»Ja, Herr, doch wenn Ihr Imperator wärt, gäbe es keine derartigen Befehle. Dann wäre diese Stadt auch ganz anders ... besser.«

»Bildest du dir ein, daß sie sich ändern würden, diese Stadtbewohner und Priester, die nur ihren eigenen Ruhm und ihr Geld im Auge haben, die auch den Kaufleuten, Wucherern und Steuerpächtern Ziel und Mittel sind. Vielleicht bildest du dir ein, daß das Volk anders wäre, wenn es außer Elend und Krankheit etwas anderes kennen würde ...?«

»Ich weiß es nicht, Herr. Es war immer so.«

»... und deswegen ist ein solcher Gleichgewichtszustand unakzeptabel. Es ist eine triviale Lösung, die keine neuen Informationen liefert. Und wo bleibt der schöpferische

Prozeß? Schaffen, das heißt verwirklichen oder beschreiben, und das sind doch Worte, die das Gleiche bedeuten! Man kann nur dort schaffen, wo Zeit existiert, und hier ist und vergeht Zeit, und trotzdem entstehen keine neuen Strukturen. Diese Welt vervielfältigt immer, mit unwesentlichen Veränderungen, die gleichen Strukturen. Man muß diese Welt aus dem Zustand des sinnlosen Gleichgewichts herausreißen ... Sonst hat dieses ganze Experiment gar keinen Sinn.«

Er verstummte und bemerkte, daß ihn die hinter dem Tisch hockende Visa ängstlich betrachtete. Es wurde ihm bewußt, daß er mit erhobener Stimme sprach. Ich nehme die Sitten der Bewohner dieses Planeten an, dachte er. In der Tat bestimmt die Struktur das Bewußtsein.

»Verzeiht, Herr, daß ich Euch erzürnt habe«, sagte Visa.

»Das hast du nicht, Visa.«

»Ich verstehe nicht, wovon Ihr sprecht, Herr.«

»Ich weiß, Visa.«

»Hast du also Gott angerufen?«

»Nein, ich habe Gott nicht angerufen. Wozu sollte ich ihn denn anrufen. Er weiß sowieso alles.«

»Warum ist es denn so, wie es ist?«

»Weil vielleicht auch er Zeit braucht, um es zu ändern. Sobald der Tag des Wandels gekommen ist, wird es zur Ausschaltung aller jener kommen, die sich seinem Kommen widersetzen. Diese Stadt wird zu bestehen aufhören und viele ihrer Bewohner werden umkommen.«

»Wißt Ihr das, Herr?«

»Ja, das weiß ich.«

»Warum, Herr? Vergebt mir meine Kühnheit, aber es leben doch dort Bäcker, Wasserverkäufer, Sklaven, die an den Pressen das Öl schlagen, und Soldaten, die das Feld bebauen würden, wenn es keine Kriege gäbe. Warum soll ihre Stadt und sie mit ihr zugrundegehen?«

»Weil sie nicht hören wollen!«

»Wollen sie nicht? Wißt Ihr, o Herr, woran der Mensch nach einem Tag Arbeit denkt, wenn der Abend kommt, wenn er die eigenen Hände vor Müdigkeit nicht mehr spürt und er nicht einmal an das Essen, sondern an Schlaf denkt. Davon wissen nur wir Sklaven. Wie können sie denn irgend etwas bloß hören?« Visa blickte ihm jetzt direkt in die Augen, und er wandte den Blick ab.

»Ich gehe schon, Herr«, sagte sie.

»Ja. Du darfst gehen.«

Als er allein war, blickte er in die Nacht hinaus, in den Himmel, wo die Sterne leuchteten, und auf die Leuchtkäfer, deren immer mehr wurden, und er zeichnete wirre Linien, wie sie die Sterne beschreiben würden, wenn man den Ablauf der Zeit um viele Größeneinheiten beschleunigen könnte, und er dachte an das Ende seiner Tage auf diesem Planeten, an genau das gleiche Ende wie das dieses Mädchens mit den hellen Haaren, die mit den Genen der Völker des Nordens hierher gekommen war, an das Los der Stadtbewohner, die vergehen würden, an die Stadt selbst, die in Ruinen liegen würde, als Verwirklichung eines Abschnittes des Experiments, und trotz des Bewußtseins der Überzeitlichkeit, die er selbst war, fühlte er Trauer darüber, daß dort, wo die Zeit existiert, all das unwiderbringlich dahinschwinden würde, genauso wie es nie mehr eine solche Nacht wie die, die er hier auf diesem Planeten erlebte, geben würde.

II. Kapitel

Der Berg war hoch, hatte aber sanft abfallende Hänge und wuchs wie ein Buckel aus der Ebene hervor. Es gab auf ihm kein Wasser, und die sich an den Felsen klammernden Pflanzen, die eher grau als grün waren, saugten jeden Wassertropfen gierig auf, der, selten genug, auf sie fiel. Auf dem Berg wohnten keine Menschen, obwohl der Zugang zur Bergspitze nicht schwierig war. In den höheren Bereichen unterhalb des Gipfels erinnerten die Ruinen von Befestigungen an Zeiten, da man im Kriege hier Schutz und Unterschlupf gesucht hatte. Er kannte diesen Berg gut und hatte ihn mehrmals in den Zeiten überflogen, da er dieses Land und diese Menschen kennengelernt hatte.

Nun hatte er dort eine Zusammenkunft ausgemacht, und nachdem er den Eingang seiner Kammer hinter sich verschlossen hatte, bereitete er sich auf den Transfer vor. Er transferierte sich niemals in der Gestalt des Statthalters des Imperators, denn dieses Gesicht war den Leuten bekannt, sondern immer nur als fast gesichtsloser Mann im Mantel, als jemand, der sich jederzeit unter die Menge mischen kann und darin verschwindet, als ob es ihn nie gegeben hätte. Diese Begegnung entsprang der Notwendigkeit, doch wählte er den Treffpunkt äußerst sorgfältig, und die nächtliche Stunde machte die Begegnung mit einem Stadtbewohner eher unwahrscheinlich. Zwar konnten die hauptsächlich ultravioletten Entladungen, die einen Transfer bei voller Stärke begleiteten und die tagsüber unsichtbar waren, des nachts aber in den Wohngebieten weiß glänzten, nicht unbemerkt bleiben, doch hatte er gerade aus diesem Grunde den menschenleeren Gipfel des entlegenen Berges ausgesucht.

Er nahm im Sessel Platz, schaltete das Feld ein und begann mit der präzisen Peilung des Transfers. Sodann sandte er in Richtung des in der Umlaufbahn kreisenden Satelliten, auf dem sich Admus befand, ein synchronisierendes Signal aus, denn für die Zusammenkunft holte er die Projektionen Elszs, eines Hilfsgebildes herbei, das schon oftmals, in den verschiedensten Formen, auf diesem Planeten Aufgaben erfüllt hatte. Als er die Empfangsbestätigung für das synchronisierende Signal erhielt, war er schon zum Transfer bereit. Er drückte auf die Auslösetaste, und sein Phantom erschien knapp über der Bergspitze. Im gleichen Augenblick zeigte sich Elsz daneben und Adam bemerkte, daß er eine Reisegestalt verwendete, die er schon vor mehreren hundert Jahren früher bei der Erforschung dieses Planeten getragen hatte.

Gemächlich ließen sie sich zusammen auf dem Berggipfel nieder, wo Admis schon auf sie wartete. Sein Mantel und sein Gesicht glänzten im Weiß der reflektierenden Entladungen, als sie sich ihm näherten, und auch später, als sie die Felsen berührten und die Spannung des Feldes abfiel, blendete sie sein Gesicht noch immer mit seinem Glanz.

»Sei gegrüßt, Adam«, sagte Admis.

»Sei gegrüßt«, antwortete dieser.

Elsz schwieg, denn er war ein bloßes Hilfsgebilde und der Gruß betraf ihn nicht.

»Du bist vom Aufstieg müde geworden«, meinte Adam.

»Es war ein heißer Nachmittag«, antwortete jener, »aber der Abend ist kühl, und die Müdigkeit verschwindet.«

»Die Müdigkeit ist eine Folge der Struktur, die wir tragen.«

»Genauso wie der Schmerz und der Tod . . .«

»Ich mußte dich hierher bestellen. Bei dieser Struktur ist eine andere Art der Verständigung nur schwer möglich und auf zwei Personen beschränkt. Ich habe auch Elsz kommen lassen.«

»Ich weiß. Seine letzte Mission wurde unterbrochen. Ich habe hier davon gehört. Der abgeschnittene Kopf seines Körpers hat in der Palastintrige als Pfand gedient.«

»Ja. Das ist ein unangenehmer Vorfall, der das Unternehmen bedeutend kompliziert. Er sollte die Ausgangsbasis für dich schaffen.«

»Er tat, was er nur konnte«, erwiderte Admis.

»Das ist alles sehr wenig. Ich sehe bei dem Unternehmen keine echten Fortschritte. Worin liegt denn deine Aufgabe, Elsz?«

»Ich stimme dir zu, Herr. Laut Plan sollte mein Handeln um eine Spur radikaler sein als das Admis'.«

»Und dich gibt es dort auch nicht mehr. Sie haben dich mühelos ausgeschaltet.«

»Viele gute Menschen sind für mich eingetreten ...«

»Na wenn schon. Mich interessiert bloß das Ergebnis des ganzen Unternehmens, und du willst doch wohl nicht behaupten, daß deine Mission ein Erfolg war.« Elsz gab keine Antwort.

»Du hast aber auch keine Erfolge aufzuweisen, Admis.«

»Viele Menschen haben meinen Worten zugehört und viele glauben an mich.«

»Uns geht es aber doch um die Veränderung ihrer Handlungsweise, um die Entwicklung gesellschaftlicher Strukturen durch sie selbst, um einen anderen Gesichtspunkt hinsichtlich des Menschen. Derzeit ist das Imperium noch unentbehrlich, aber es wird zerfallen müssen und andere Völker und andere Kulturen werden entstehen. Das Experiment soll diesen ganzen Planeten umfassen, Admis.«

»Vielleicht haben wir den Ort des Unternehmens falsch gewählt?«

»Unter den Völkern des Imperiums existiert lediglich hier der Glaube an einen abstrakten Gott. Und das macht bereits die Hälfte des Erfolges der Aktion aus. Wir haben übrigens in die Vorbereitungen sehr viel Mühe investiert. Das dauert schon so viele Jahrhunderte, daß ein Neubeginn anderswo ein Zeitverlust wäre. Und die Zeit bleibt auf dem Planeten nicht stehen. Für den Erfolg des Unternehmens brauchen wir unbedingt das Imperium, denn nur von einem solchen Zentrum wie dem Imperium aus können die Veränderungen auf die ganze Welt übergreifen. Die Tage des Imperiums sind gezählt. Das, was wir schon jetzt erkennen können, ist der Anfang vom Ende. Noch hundert, zweihundert Jahre und gerade die Tüchtigsten werden sich vor der Übernahme öffentlicher Ämter drücken, und das wird das Ende bedeuten. Dann werden andere Völker auftreten, doch im Zuge der Eroberung werden sie sich das zu eigen machen, was wir heute anfangen. Ja, das Unternehmen muß jetzt gelingen. Wir, obwohl selbst immerwährend, haben keine Zeit zu verlieren.«

»Die Ausschaltung der letzten Struktur von Elsz ist für uns ein Mißerfolg«, sagte Admis. »Andererseits jedoch . . .«

»Die Ausschaltung selbst ist ohne Bedeutung. Ähnlich wie das Los jeder unserer Strukturen ohne Bedeutung ist. Wir sind hier nur dazu da, um diesen Menschen Hoffnung einzuflößen. Die Hoffnung als Generator all dessen, was sie tun und tun können.«

»Und die Liebe. Davon rede ich ja doch . . .«

»Die Hoffnung durch die Liebe, Admis. Die Liebe ist dazu da, um die Hoffnung für immer zu erhalten, auch dann noch, wenn nichts anderes mehr existiert. Was auf diesem Planeten so oft vorkommt. Die Hoffnung setzt in diesen Strukturen, Menschen genannt, Möglichkeiten frei, die woanders nicht erschaffbar sind, Möglichkeiten, die durch nichts aus ihrer Umwelt bedingt sind. Es ist ein einmaliger Zufall, wenn die Abstraktion ins Handeln übergeht, ein Fall, wo die Abstraktion allein genügt.«

»Wie willst du das verwirklichen, Adam?«

»Du wirst es realisieren.«

»Wenn man zwischen ihren Siedlungen herumgeht, mit ihnen spricht, sie überzeugt und ihnen teilweise unsere Möglichkeiten demonstriert, so genügt das allein nicht. Sie unterhalten sich mit mir, nehmen an den Vorführungen teil, sind von unseren Möglichkeiten erschüttert, fallen aufs Angesicht nieder und kehren dann wieder zu ihren Alltagsbeschäftigungen zurück, und alles bleibt, wie es vor meiner Ankunft war.«

»Du sprichst wie einer ihresgleichen«, sagte Adam.

»Ich stelle bloß die Tatsachen fest. Zu ihrer Veränderung bedarf es etwas mehr.«

»Einst haben wir eine ihrer Städte samt allen Einwohnern vernichtet, und davon reden sie bis zum heutigen Tag«, meinte Elsz.

»Ja, das war eine wirksame Methode.«

»Wir können das noch immer wiederholen«, fügte Elsz hinzu.

»Können wir«, zeigte sich Admis einverstanden, »aber wir müssen jene retten, die uns Glauben geschenkt haben, und das ist bereits weitaus schwieriger. Außerdem tut es mir um sie alle leid, Adam. Sie sind Momentaufnahmen, ein Aufflackern . . . Lichtblicke der Ewigkeit, Elemente der Statistik dieses Experiments, so unbeständig wie die Feldverteilung in einem Informationskristall, und doch bin ich ja auch einer von ihnen. Sie fühlen, lieben und warten mit neuer Hoffnung auf jeden Aufgang ihrer Sonne über dem Horizont. Und die Hoffnung ist eine Funktion der Zeit. In der Überzeitlichkeit ist alles vorhanden außer der Hoffnung.«

»Sie werden dich vernichten wollen, Admis. Dir alles wegnehmen wollen, auch die Hoffnung. Sie werden trachten, dir deine Existenz zu rauben. Trauere nicht um sie! Sie sind eben so, und so werden sie immer bleiben. Das ist nicht der Anfang des Experimentes. Du erklärst ihnen doch, daß das, was sie nicht uns, sondern sich selbst antun, nicht böse ist. Wenn sie es verstanden hätten, würden sie sich Strafe erwarten. Und falls sie bestraft worden wären, hätten sie begriffen, daß sie schuldig waren. Anders sind sie nicht zu verstehen imstande. In diesem Teil des Planeten sind Schuld und Sühne eine Methode des Begreifens der Welt. Komm in die Stadt, Admis!«

»Ist das dein Entschluß, Adam?«

»Ja. Sie müssen in der Stadt versuchen, dich zu vernichten. Du und das ganze Unternehmen seid gegen die bestehende Ordnung gerichtet. Sie werden keine andere Wahl haben. Sie werden sich zusammenfinden, um dich abzuurteilen und zu töten. Und dann wird die Flotte eingreifen.«

»Wenn es aber zu einem Meuchelmord an ihm kommen sollte?« fragte Elsz.

»In der Stadt werden sie dich beschützen, soweit das in der Zeit möglich ist, in der es den Zufall gibt. Aber ich werde dich in Schutz nehmen. Zu diesem Zweck verfüge ich über unsere Hilfsmittel wie auch über ihre Methoden ...«

»Wenn sie also schließlich zusammenkommen werden, um mich zum Tode zu verurteilen, wirst du die Flotteneinheiten einsetzen und sie und ihre Stadt zerstören?«

»Ja.«

»Und was weiter?«

»Die Überlebenden werden wissen, daß es uns gibt und daß wir aufpassen, und daß wir ihren Taten zusehen. Und alle jene, die vorher geglaubt haben, werden wir retten.«

»Und das wird die Menschen verwandeln?«

»Gewiß.«

»Mögest du recht behalten. Gut. Bald werde ich in der Stadt eintreffen.«

»Paß vor deiner Ankunft auf dich auf, Admis! Du bist auch ein Mensch, wie jener Jüngling, in den ich dich in der Wüste versetzte. Du verfügst vorläufig weder über die Hüllen der Kraftfelder noch über die Flotte. Hier in dieser

Welt, wo die Zeit vergeht, sind sie womöglich nicht imstande, dich zu schützen. In der Stadt werde ich dich mit einem schwachen Transfer begleiten. Ich weiß, daß du alle deine Sinne anstrengen mußt, um einen schwachen Transfer empfangen zu können, und in dieser Struktur bedeutet das eine Anstrengung, die fast die Fähigkeiten eines gewöhnlichen Menschen übersteigt. Aber du bist nicht nur ein Mensch.«

»Alles liegt in deiner Hand, Adam. Du bist der Vorläufer. Ich nur der Nachfolger, eine im zeitlichen Sinne jüngere Ausführung von dir.«

»Du bist aber doch auch ich. Vergiß es nicht!«

»In der Überzeitlichkeit bist du ich, und ich du. Doch existiert in dieser Welt auch noch die Zeit.«

»Bis zum nächstenmal, Admis.«

»Auf Wiedersehen.«

Er begann, sich mit Elsz über die Felsen zu erheben, doch als er schon einige Meter über der Erde war, bemerkte er drei Menschen, die sich an den Felsen festklammerten und sich dort verstecken wollten.

»Admis, wer ist das«, fragte er.

»Das sind meine Gefährten«, lautete die Antwort.

»Du solltest doch allein kommen.«

»Für sie ist es schwer, weil das Unternehmen anders ist, als sie es sich vorgestellt haben, nun aber sollen sie wenigstens deine Macht sehen.«

»Von morgen an werde ich versuchen, ihnen deutlich zu machen, was das Unternehmen ist, was es bewirken wird und wer du bist.« Bei diesen Worten erhob er sich mit Elsz mit seinem Phantom in die Höhe und schwebte geräuschlos durch die Nacht davon.

Als er nach Beendigung des Transfers in seiner Kammer aus dem Sessel aufstand, bemerkte er, daß sich jemand hinter ihm befand. Es handelte sich um einen Mann von mittlerem Wuchs in einem universellen luftdichten Schutzanzug. Er wußte, daß solche Schutzanzüge auf diesem Planeten frühestens in zweitausend Jahren in Verwendung stehen würden.

»Ich sagte dir doch, Micho, daß man sich hier nicht mit einem Hilfsgebilde transferieren darf.«

»Ich weiß, Chef, aber die Sache ist dringend. Ich habe gehört, daß uns Arbeit bevorsteht.«

»Ja. Ich habe gerade mit Admis gesprochen.«

»Lediglich die Stadt oder auch die Umgebung?«

»Das habe ich noch nicht entschieden.«

»Ich möchte es lieber vorher wissen, damit ich die Mannschaften und Automaten in Stellung bringen kann.«

»Du schaffst es schon, ich werde dir alles übergeben, sobald der richtige Zeitpunkt gekommen ist.«

»Du, Chef, wirst dann auch nicht mehr da sein. Du siehst bei einer solchen Arbeit nicht gerne zu. Das weiß ich genauso gut wie du. Und ich möchte es vermeiden, hier wieder untaugliche Mittel einzusetzen. Man muß sich entscheiden. Eine Gravitationsbombe, Antimaterie, oder vielleicht eine gewöhnliche Kernwaffe. Oder vielleicht etwas Außergewöhnliches, zum Beispiel die Zersetzung der Ozonschicht über der Stadt. Dann würde der Tempel stehenbleiben, ein schönes Stück Arbeit für Zeiten wie diese, und wir würden bloß die Menschen samt allem lebendigen Inventar auslöschen. Die Pflanzen leider auch, doch in diesem Klima wird das alles wieder schnell nachwachsen und man könnte in dieser fertigen Umwelt einige Gerechte ansiedeln.«

»Sei still!«

»Die Aufklärungsflüge habe ich durchgeführt. Die Flotte steht bereit. Deiner Anweisung entsprechend versuchen wir, tagsüber keine Flüge durchzuführen, doch gibt es sowieso aus allen Epochen Meldungen. Du tust recht daran, wenn du in den Epochen, in denen es schon eigene Luftfahrzeuge gibt, zu diesem Zweck nur Punktwaffen einsetzt. Na ja, in den nächsten zweitausend Jahren dürfen wir uns mit unserer ganzen Flotte frei bewegen. Das garantiert die Exaktheit der Durchführung und die Treffsicherheit der Stoßwirkung ist unvergleichlich größer. Sie haben noch lange zu lernen, bis sie solche Ergebnisse erzielen.«

»Verschwinde, Micho! Ich werde dich kommen lassen, wenn du gebraucht wirst.«

»Ich mache mich sofort aus dem Staub, Chef. Ich will bloß sagen, daß ich, wenn du ähnliche Operationen wie die vor zweitausend Jahren planen solltest, früher davon erfahren muß, um meine Energiespeicher aufladen zu können. Dazu genügen mir zwei Tage der heutigen Zeit, nur muß ich es vorher wissen.«

Micho verschwand, und wieder war er allein, doch ließ ihn das, was Micho gesagt hatte, nicht los. Was hatte das schon zu bedeuten, daß er dort nicht in der jetzigen Gestalt gewesen war, war doch alles, was geschehen war, die ganze Information darüber in der Überzeitlichkeit, und er mußte davon, wie auch über alles andere, alles wissen. Er erinnerte sich an diesen glühenden Sommertag, als vom Ozean her eine Brise wehte und im Hafen von Atlantis das alltägliche Verkehrsgewühl herrschte. Die Galeeren lagen am Ufer vertäut, und man lud aus ihnen Fässer mit gesalzenen Heringen aus, und an ihrer Stelle wurde Wein an Bord gebracht. Er hörte die Schreie der Aufseher und das Klatschen der Peitschen, mit denen man die Sklaven zur Arbeit antrieb. Hinter den Wellenbrechern und Molen befand sich die Stadt, die von konzentrischen Kanälen durchzogen wurde, zu denen Stege hinunterführten. Diese Kanäle waren voll von Kähnen, wo unter den die Sonne abschirmenden Baldachinen lachende Frauen Grüße austauschten und die Verkäufer in ihren Fahrzeugen die Preise der vor ihnen ausgebreiteten Waren aus allen Teilen der fernen Welt ausriefen. In der Stadtmitte, auf der größten Insel, stand auf einem Hügel, einige Dutzend Meter über dem Meeresspiegel, ein mächtiger Tempel, prachtvoll vom Reichtum des

Volkes zeugend, das ihn errichtet hatte. Seine Silberkuppel glänzte von weitem, und die goldenen Akroterien warfen die Strahlen der sich nach Westen neigenden Sonne zurück.

Seine Flotte nahm Positionen über dem Ozean ein, der sich westlich von Atlantis erstreckte, tief und auf dem Meeresgrund von Schluchten zerklüftet, bis hin zu dem Kontinent, wo die Atlanter einige Kolonien gegründet hatten. Ihre lächerlich winzigen Galeeren fuhren von dort viele Monate bis zur Hauptstadt und hinterließen als Spur die über Bord geworfenen Leichname der Sklaven, die während der Fahrt an Hunger und Krankheiten starben. Die verstorbenen Edlen hingegen wickelte man in Tücher ein und band ihnen Lasten an die Füße, damit sie gleich in das Königreich Neptuns, des Schutzgottes von Atlantis, hinuntersteigen konnten.

Das Volk von Atlantis war genauso wie das hier, achttausend Jahre später in dieser Stadt. Es sprach eine andere Sprache, verehrte andere Götter, schuftete aber ebenso schwer und trank den gleichen Wein, wenn die Zeit für Feste kam. Nur die Priester kannten die Wahrheit. Die Priester von Atlantis erhielten das Wissen, das auf diesem Planeten abermals, über zweitausend Jahre in der Zukunft, entstehen würde. Und jene Priester erhielten es, denn so war das erste Experiment damals. Sie erhielten es, behielten es für sich selbst, und nur manchmal, wenn sie sich bedroht fühlten, wandten sie Bruchstücke davon an, um weiterhin Herren über die damalige Welt zu bleiben. Dann vergaßen sie sogar, woher sie dieses Wissen hatten, und bildeten sich ein, daß es ihnen schon ewig gehörte. Und sie meinten soviel zu wissen, daß ihnen die Welt keine Überraschungen mehr bereiten könne. Sie lachten bloß, als er sie aufsuchte und die Weitergabe dieses Wissens an die anderen verlangte.

»Wenn wir unser Wissen weitergeben würden, wären alle Priester, also wäre keiner ein Priester«, sagte einst, vor achttausend Jahren, ein Greis, der glaubte, schon alles zu wissen. Auch aus diesem Grunde hatte er das damalige Experiment ausmerzen müssen. Der Erfolg des seinerzeitigen Experimentes hing von der allgemeinen Verbreitung des Wissens ab. Ohne das Wissen war das Experiment sinnlos, da über weite Gebiete des Planeten Informationen nur mittels elektromagnetischer Wellen übermittelt werden konnten, nicht aber mit Boten, die auf Galeeren fuhren, die durch die Ruderarbeit der Sklaven fortbewegt wurden. Als er ihnen erklärte, daß er diese Welt zerstören würde, glaubten sie ihm nicht, denn sie dachten, daß sie es besser wüßten.

Sie kannten die Bewegungsgesetze der Himmelskörper und dieser Planetoid, der außerhalb der Umlaufbahn der äußeren Planeten herumflog, beunruhigte sie keineswegs. Sie berechneten die Entfernung, in der er an ihrem Planeten als kaum bemerkbarer Punkt vorbeifliegen würde, denn sein Durchmesser betrug nur etwas über zehn Kilometer. Und als er ihnen sagte, daß er seine Bahn so verändern würde, daß er mit dem Planeten zusammenstoßen würde, lachten sie ihn aus. Ihre Zeit war sich ihres Wissens sicher, also hatten sie noch keine Ahnung von den Schwerewellen.

Die Gravitationsladung wurde in großer Entfernung von dem Planeten angebracht, außerhalb der Umlaufbahn seines Mondes. Sie war so bemessen, daß sie intensive, den Raum krümmende Wellen erzeugte, die die Bahn des Planetoiden so veränderten, daß er nach dem Durchstoßen der Atmosphäre des Planeten in den Ozean westlich von Atlantis stürzte.

Als der Planetoid seine Bahn veränderte, glaubten sie ihm, aber da war es schon zu spät. Die Priester glaubten ihm, da das Volk davon nichts wußte und die gleiche gewöhnliche Menschenansammlung wie das Volk hier in dieser Stadt war, bis das Krachen und Dröhnen der vom Planetoiden zerrissenen Atmosphäre Atlantis erreichte und die Tempelmauern zertrümmerte.

Damals wußte das Volk auch, daß das Ende gekommen war. Er wußte es schon vorher, bevor noch die große Flut kam und mit mehrere Kilometer langen Wellen über die Hänge des Küstengebirges schwappte, Atlantis und die zum Meer hin abfallenden Ebenen überschwemmte und in der Folge alle Ebenen und Inseln des ganzen Planeten. Die Vernichtung dieser Zivilisation sollte so vollständig sein wie das Auslöschen der Strukturen im Gedächtnisspeicher der Informationsträger, wenn das eine Experiment zu Ende ging und das zweite begann.

Das Wasser sollte nur der Abschluß sein, das mit einer Schicht von Schlamm und Sand die Spuren all dessen, was vorher gewesen war, verwischte. Vorher schon verursachte der Aufprall des Planetoiden, nachdem er die Kruste des Planeten zerfetzt hatte, diesen dünnen Panzer über dem flüssig-glühenden Inneren, auf dem ganzen Erdball den Ausbruch von Vulkanen, Ströme flüssigen Magmas ergossen sich und giftige Gase brachen in die Atmosphäre durch. Die Pole des Planeten verschoben sich . . .

Ja, das Land Atlantis hatte zu existieren aufgehört, und zwar infolge eines Fehlers, eines Fehlers in den Prämissen des Experiments. Jetzt, da er Mensch war, dachte er mit Schmerz daran, denn nur in der Überzeitlichkeit war ihm jedwedes Schuldgefühl fremd. Das Land Atlantis, in dem er die Kultur entwickelte, war von den anderen Ländern und Kolonien allzu weit entfernt, und erlangte schon auf einem primitiven Stand von Technik, gleich nach ihrer Annahme, seine Autonomie. Der Austausch von Produkten und Informationen war äußerst gering, und für das Experiment war die Kooperation, die Entwicklung eines komplexen Systems, und nicht die unabhängige Entwicklung mehrerer Zentren entscheidend. Deshalb wurde das zweite grundsätzliche Experiment, das Experiment, an dem er jetzt teilnahm, am Rande eines Binnenmeeres und nur in einem kleinen Bereich lokalisiert, und man nahm keinen Wissenstransfer vor. Lediglich viele Jahrhunderte später sollte ein fragmentarischer Transfer erfolgen. Zwar wurden in den übrigen Teilen des Erdballs auch Experimente durchgeführt, aber das waren Sonderprogramme und sollten es auch noch lange Jahrhunderte bleiben, es sei denn ... Er dachte daran, daß jeder Schöpfungsakt, jedes Experiment, eine Konfrontation des Allwissens mit dem Informationsgeräusch sei, das der Definition nach keine Information ist und das manchmal Zeit genannt wird.

Er dachte nicht mehr an die Katastrophe, die Atlantis hinweggefegt hatte, sondern an das zweite Experiment und die Korrektur, die er gerade durchführte. Hinter dem Fenster seiner Stube dämmerte die Morgenröte herauf, und er hörte das ferne Krähen der Hähne von unten aus der Stadt. Er dachte, daß er müde war, daß der vergangene Tag schwer gewesen war und daß er selbst allerdings ein Mensch sei. Später beim Einschlafen, sah er wieder den Tempel von Atlantis vor sich, als die heranbrausende Flutwelle die Sonne verschleierte, und er hörte die Menschen, die ihn anflehten, sie zu retten, und die deswegen zugrundegingen, weil er es so wollte. Bevor er einschlief, dachte er noch, daß es schwer sei, Mensch zu sein, und dann träumte er, er befände sich in der Überzeitlichkeit, und daß all das, was er auf dem Planeten sah, seine Menschen, Städte, Bäume und Sonnenuntergänge, bloß Illusion sei.

Er schlief schon, als die ersten Strahlen der aufgehenden Sonne von den weißen Tempelterrassen der Stadt, in der er sich befand, zurückgeworfen wurden.

III. Kapitel

Die hellen Sonnenstrahlen über der Stadt vertrieben bereits die Morgenkühle. Sogar die Schatten der Häuser und Bäume wurden von dem tiefen Blau eines wolkenlosen Himmels gefärbt. Er ging durch die Straße der Töpfer, die braunen Lehmhütten entlang, vor denen auf ausgebreiteten Matten Krüge, Amphoren und Schalen standen, und die Verkäufer ihre Waren anpriesen. Er drängte sich durch die Menge der ihm ähnelnden Menschen in ihren weißen, manchmal rot umsäumten Kleidern, die barfuß durch Lehm und tierischen Kot stapften, dessen Gestank zusammen mit dem milden Rauchgeruch den charakteristischen Geruch dieser Stadt ausmachte.

Die Sklaven mit den Tafeln um den Hals machten ihm Platz, und andere, die in der Menge an ihn stießen, sahen ihn mit Staunen an, denn sein Phantom fühlte sich bei der Berührung etwas anders als ihre Körper und ihre Kleidung an, doch da sie einen Menschen wie ihresgleichen sahen, gingen sie weiter, ohne ihn näher zu betrachten, denn ein allzu aufdringliches Anstarren eines Unbekannten galt in diesem Land als Taktlosigkeit.

Er wußte, daß sich in wenigen Stunden, sobald die Sonne im Scheitel stand, diese Menschen vor der Glut in ihren Häusern verkriechen würden, und nur Hunde herumstreunen würden, die von ihren leichtsinnigen Besitzern, die nicht an die Entschädigung für Gebissene dachten, ohne Aufsicht gelassen worden waren.

Es gab hier auch Schutz vor Menschen, unterschiedlichen für verschiedene. Die Gesetze dieses Landes waren ihm wohlvertraut, denn er hatte sich auf seine Mission gründlich vorbereitet, ohne jeden Gedanken an Zeitersparnis, wie es eben das Bewußtsein der Überzeitlichkeit mit sich bringt. Er bog aus der Straße der Töpfer in eine kleine winkelige Gasse ab, wo drei Maulbeerbäume wuchsen und sich eine kleine Werkstätte befand, in deren Tür ein alter Mann Sandalen anfertigte. Er hielt die Nägel im Mund, führte schnelle Hammerschläge aus und saß hier wochentags immer, seit Jahren unverändert, alterte ein wenig und arbeitete von früh bis spät, ungeachtet dessen, daß er auf diesem Planeten bloß eine endliche Anzahl von Tagen zu verleben hatte.

Seit Jahren beobachtete er ihn immer im Vorbeigehen. Er erinnerte sich daran, daß er ihn gleich im ersten Monat getroffen hatte, als er als Statthalter des Imperators mit seiner Mission begann, welche Stellung ihm die notwendige Freiheit zur Leitung des Unternehmens ließ, eine Freiheit, die es in anderen Existenzformen dieser komplexen, vom Gesetz eingeschränkten Gesellschaft nicht gab.

Der Mensch, der die Sandalen anfertigte, nahm nie von ihm Notiz und erkannte ihn kaum als eine Gestalt aus einer Reihe verschiedenster Phantome, die von der durchschnittlichen Anonymität einer Menschenmenge nicht zu unterscheiden waren. Ohne Phantom konnte er sich nur als Proktor und Statthalter des Imperators fortbewegen, von seinen Soldaten vor anderen Menschen und von einem chemischen Schutzfilm vor den Mikroorganismen geschützt. Sein Tod, wiewohl für ihn selbst als zeitlosen Überzeitlichen ohne Bedeutung, würde das Experiment auf dieser Welt, in der es Zeit gab, verzögern.

Und die Zeit des Endspiels näherte sich, und er dachte mit Schmerz daran, wie nahe der Tag war, da er mit seinem Phantom nicht mehr hierher würde kommen können, weil sowohl das Phantom wie auch die Stadt nicht mehr vorhanden wären. Bedeutungslos war auch die Tatsache, daß die gesamte Information, die ihn jetzt erreichte, schon in der

Überzeitlichkeit war, und daß sie nur in der Zeit diesen sonderbaren, leicht melancholischen Geschmack von Vergänglichkeit hatte. Er passierte eine Ecke und ging durch eine fast menschenleere Gasse in Richtung des Tempels, dessen weiße Mauern und goldglänzende Verzierungen er über den Dächern der Häuser erblickte. Er trat aus dem Schatten auf einen Platz mit im Lehm erstarrten Wagenspuren und von der Sonne verbrannten Überresten von Pflanzen. Durch sein Leinenkleid hindurch spürte er auf Kopf und Rücken die Sonnenglut und an den Füßen die Wärme des erhitzten Tons, auf dem er barfuß ging. Er überquerte den halben Platz und bemerkte auf der anderen Seite eine Menschenansammlung. Die Leute standen mit dem Rücken zu ihm. Einige hatten verkrüppelte Bäume erklettert, und sie wie auch jene, die sich auf Hausdächern nach vorne beugten, blickten in die enge Straße hinunter. Die Menge schwieg. Nachdem er sich der gegenüberliegenden Seite genähert hatte, vernahm er die undeutliche, durch die Entfernung gedämpfte Stimme des Sprechers. Er würde diese Stimme überall erkennen. Es war Admis. Er verstand nur einzelne Worte, da er noch zu weit entfernt war. Manchmal verstummte die Stimme, und dann hörte er Schreie aus der ersten Reihe der Menge. Vor ihm stand eine Frau in einem weißen Gewand mit Kopftuch, das ihr über das Gesicht fiel und gleichzeitig der Sitte der Einheimischen entsprechend auch die fallenden Haare verhüllte. Dort jedoch, wo das Tuch einen Knoten bildete, bemerkte er eine lichte Haarsträhne, was bei diesen Frauen ungewöhnlich war. Er drängte sich bis zu dem stehenden Mädchen vor, und als er neben ihr stand, blickte er ihr von der Seite aus ins Gesicht. Es war Visa. Er wollte sie fragen, warum sie nicht im Palast geblieben war, fern dem Pöbel, dessen rücksichtslose Masse einem über die Ufer getretenen Fluß glich, aber dann fiel ihm ein, daß sein Phantom die Gestalt eines namenlosen Passanten angenommen hatte, ein Gesicht, das man gleich vergißt, nachdem man es gesehen hat, ein für Visa fremdes Gesicht in der Menge. Er wandte sich von ihr ab, doch gerade da hörte er von hinten, von dem Platz, von dem er gekommen war, ein schrilles Pfeifen und das dröhnende Getrappel von Pferdehufen. Er wandte sich um. Er sah die sich nähernden Pferdeköpfe und darüber in der Staubwolke das Profil der Reiter mit ihren Helmen. Ein hinter ihm stehender Mann schrie etwas und zerrte ihn am Arm, wollte ihn beiseitestoßen, um zur Mauer zu gelangen. Er hörte den wachsenden Tumult der Leute, dumpfe Schläge und das Stöhnen der ersten Niedergerittenen. Er sah das Gesicht Visas, ihren im Aufschrei geöffneten Mund und die Augen, die an ihm vorbeiglitten. Sie erkannte ihn auch dann nicht, als er zu ihr hinüberstürzte und sie an den Armen ergriff, sie gleichzeitig umklammernd und niederreißend, bis beide zusammen niederstürzten auf den ausgedörrten Lehm, und er sie mit seinem Phantom beschützte, so daß sie unmittelbar unter ihm lag. Sie wollte aufstehen und sich von ihm losreißen, bis sie alles begriff. Sie erstarrte, und er spürte, wie die Anspannung ihrer Muskeln nachließ, sie weich und locker wurden. Er fühlte keine Stöße gegen das Phantom und sah nur, wie die Leute rund um ihn niederfielen, versuchten, sich wieder auf die Knie aufzurichten und unter den Tritten der Pferdehufe neuerlich zu Boden stürzten. Dann bewegten sie sich nicht mehr, und nur die nächste Schar der Pferde schlug mit den Hufen den Lehm rund um ihn, und der aufgewirbelte Staub verschleierte die Fassaden der Gebäude.

Der Staub senkte sich langsam zu Boden und allmählich verstummten der Hufschlag, die Schreie der Zertrampelten und die Rufe der Reiter. Visa bewegte sich nicht, und er spürte, daß sich ihre Muskeln so weich wie der übrige Körper anfühlten.

»Du hast mich gerettet«, sagte sie.

Daneben hörte er ein Stöhnen. Etwas weiter weg versuchte ein Mann schwerfällig an die Mauer heranzukriechen. Er blickte zu Visa hin. Ihr Tuch lag zwei Schritte weiter, ebenso in den Boden getrampelt wie ihre Haare in den feinen Staub. Sie sah ihn an.

»Du hast mich gerettet«, wiederholte sie und lag wie vorher reglos da.

Er streckte die Knie, erhob sich und reichte ihr die Hand.

»Ist dir etwas zugestoßen?« fragte sie im Aufstehen.

»Nichts.« Er wandte sich um, ging wieder dorthin zurück, von wo er gekommen war.

»Warte. Wie heißt du«, rief sie ihm nach. Er wandte sich nicht um, beschleunigte seinen Schritt und lief fast auf den Platz. Sie rief ihm nicht mehr nach, und nachdem er vom Platz abgebogen war, dachte er noch eine Weile an Admis und löste sich auf. Der Staub von seinem Phantom bildete einen Luftwirbel, wie er sich manchmal in einem Torweg bildet, wenn der Wind durch die Straßen einer Stadt weht, und senkte sich dann langsam nieder, denn das Phantom, das er vorher getragen hatte, gab es nicht mehr.

In seiner Kammer löste er die Verriegelung der Automaten und trat auf den Gang hinaus. Er klatschte in die Hände. Ein Wachsoldat kam angelaufen und blieb drei Schritte vor ihm regungslos stehen.

»Hol den Kommandanten!« befahl er, ohne den Soldaten weiter zu beachten, und ging weiter. Er vernahm das Klatschen von Sandalen und das Echo von den Steinmauern der Gänge. Er selbst ging in das Gemach, das auf einer Seite zum Garten hin offen war, die Kammer, von wo aus er Befehle erteilte, meditierte und die Sterne beobachtete. Er hörte das plätschernde Rinnsal des Brunnens und das leise Summen der Insekten von dort, wo die steinerne Treppe endete und in grünes Gebüsch überging, dessen Zweige sich leicht in der von der mittäglichen Hitze erwärmten Luft bewegten.

Er wartete, denn er wußte, daß der Soldat einige hundert

Meter zurücklegen mußte, um in denjenigen Teil des Gebäudes zu gelangen, wo sich die Räume der Armeeoffiziere befanden, darunter auch die des Kommandanten der Truppen in der Stadt.

Er ließ sich auf der Steinbank nieder und bemerkte dann Visa. Sie ging an der Mauer vorbei und schlich mit einem Krug in der Hand hinter die Säulen.

»Visa«, rief er ihr zu.

Sie blieb stehen und blickte zu ihm hin.

»Komm her, Visa!« sagte er.

Sie kam näher und neigte den Kopf. Als er ihre langen lichten Haare betrachtete, wurden ihm die Zusammenhänge klar. »Sie kann doch noch gar nicht aus der Stadt zurück sein«, dachte er bei sich. »Meine Rückkehr aus dem Transfer erfolgte im Nu, also muß dieses oder jenes Objekt ein Phantom gewesen sein, und wenn das stimmt . . .«

»Was hast du vor einer kleinen Weile gemacht«, fragte er. Visa schwieg, ohne die Augen aufzurichten. »Ich werde es dir sagen. Du hast geschlafen. Plötzlich erfaßte dich ein Gefühl, du müßtest schlafen, und du bist eingeschlafen. Nicht wahr?«

»Herr, Ihr wißt alles. Ich schäme mich, daß ich am Morgen, wenn die meiste Arbeit anfällt, geschlafen habe. Bestraft mich, Herr.« Sie kniete vor ihm nieder und berührte mit den Lippen seine Hand. Er spürte ihre Haare auf seinen Fersen und zog die Hand zurück.

»Steh auf!« sagte er lauter als sonst.

Sie kauerte sich zusammen und blieb weiter knien.

»Erheb dich und bring mir Wein!« wiederholte er leiser.

»Ja, Herr«, antwortete sie und erhob sich nach Sklavenbrauch, ohne ihn anzusehen, mit gesenktem Kopf, nahm den Krug und wollte sich entfernen.

»Visa, sieh mich doch an!« sagte er.

Sie blieb stehen, und er blickte in ihre blauen Augen, genau die gleichen wie vorhin auf dem Platz.

»Es ist nicht deine Schuld, Visa«, sagte er. »Es ist wirklich nicht deine Schuld.«

»Ihr seid gütig, Herr, aber ich weiß, daß ich schuldig bin und mir Strafe gebührt.«

»Du hast nichts Böses getan, Visa. Ich mache manchmal vormittags auch ein Nickerchen.«

»Aber ich bin eine Sklavin, Herr. Ein Sklave darf nur in der Nacht, bis zum Morgengrauen, schlafen.«

»Ich befehle dir, nicht mehr darüber nachzudenken«, sagte er.

»Ja, Herr. Gleich bringe ich Wein.« Sie entfernte sich, und er saß da und blickte zum Himmel empor, der weit am Horizont, hinter den Bergen, in ein verwaschenes Weiß überging. Er wartete auf den Kommandanten der Garnison, wußte aber schon im voraus, was der ihm mitteilen würde.

Nach einer Weile meldete sich der Befehlshaber bei ihm, in Helm, kurzer Tunika mit Schwert und den Dolch im breiten Gürtel.

»Heil dem Imperator. Du hast mich rufen lassen, Proktor.«

»Warum hast du die Reiterei gegen die Menge eingesetzt, Ardo?« fragte er und unterbrach ihn.

»Ihr habt es befohlen.«

»Habe ich es selbst befohlen?«

»Nein, Ihr habt einen Mann aus Eurer Wache geschickt.«

»Würdest du ihn erkennen?«

»Ich kann mich an sein Gesicht nicht mehr erinnern. Doch damals wußte ich mit Sicherheit, daß er von Euch kommt, Herr.«

»Ja gewiß.« Der Proktor schwieg eine Weile.

»Habt Ihr keinen solchen Befehl erteilt?« fragte der Kommandant.

»In Ordnung. Du kannst gehen.« Er blickte weiter in den Himmel, über den Befehlshaber hinweg, und es kam ihm vor, als sähe er in dem Blau die drei schwarzen Punkte von Geiern, die irgendwo über dem Stadtrand kreisten.

»Heil dem Imperator!« sagte der Befehlshaber und ging. Als dieser schon weiter weg war und nicht einmal mehr seine Schritte zu hören waren, sagte der Proktor leise, ohne den Blick vom Himmel abzuwenden:

»Zeig dich, Masmo. Ich weiß, daß du irgendwo in der Nähe bist und in einem schwachen Transfer steckst. Fürchte dich nicht, vorläufig werde ich dich nicht vernichten.« Er vernahm ein leises Knacken hinter sich und vor ihm zeigte sich eine Gestalt in einem schwarzen Umhang, mit dem ausdruckslosen Gesicht eines jungen Mannes, großen dunklen Augen und ohne jede Spur von Bartwuchs.

»Es ist traurig, daß wir nur miteinander sprechen können, wenn wir eine solche Gestalt annehmen«, sagte dieser Mann.

»Sei froh, daß wir überhaupt miteinander sprechen.«

»Ich für mein Teil halte es für eine Ehre, Herr.«

»Als ich dich vor achttausend Umläufen dieses Planeten um seinen Stern hier zurückließ und isolierte, glaubte ich, daß wir uns nicht wieder sehen würden.«

»Du hast das nicht wirklich geglaubt, Herr.«

»Du hast bereits Admis in Unruhe versetzt.«

»Das stimmt, aber du weißt, daß ich nur das Beste wollte.«

»Du spottest, Masmo.«

»Nein, Herr. Rekonstruiere alles noch einmal, und du wirst dich selbst davon überzeugen.«

Er wollte sagen, daß er dieses Fragment der Zeit kenne und daß, aus dem Gedächtnis des Admis an Admus weitergeleitet und von dort zurück in sein Gedächtnis, dieses Fragment andauere, doch drängte sich dann der Verdacht auf, daß er vielleicht hier, als Mensch mit allen sich aus dieser Struktur ergebenden Beschränkungen, etwas übersehen hatte, was wirklich wichtig war, was im Hintergrund von all dem zurückgeblieben war, und daß er etwas nicht verstand, was er in Menschengestalt verstehen sollte.

Nun war er Admis und spürte die Sonne, den Durst, die Glut der Wüste unter seinen Fersen, und auch den Hunger, weil er seit vielen Tagen nichts gegessen hatte.

Kein Wind regte sich, doch vom Felsen rieselte der Sand herunter und über ihm kreisten drei Geier, die lautlos einen Kreis beschrieben, dessen Mittelpunkt über seinem Kopf lag. Kilometer weiter, hinter den Felsen, befand sich ein Fluß und es kam ihm manchmal vor, als rieche er in diesen erhitzten, unbewegten Luftmassen, die von den Glutwellen mit dem Sand zu den Felsen geschwemmt wurden, den Duft des Wassers und des Schlamms. Dann bemerkte er Masmo. Dieser stand in dem schwarzen Umhang mit ausdruckslosem Gesicht wie immer vor dem grauen Felsen. Er wollte ihm befehlen, sich zu entfernen, doch wurde seine Zunge groß und trocken und füllte die ganze Mundhöhle aus.

Er hörte jetzt deutlich die klangvolle Stimme Masmos, nicht verzerrt, sondern als ob jener neben ihm in der Kammer stünde und nicht in der Wüste, wo die Hitzewellen die Stimme tragen und zerstreuen.

»Ich verstehe dich nicht, Herr«, sagte Masmo, »du bist durstig und hungrig, und doch kannst du diese Felsen mühelos in Brot verwandeln, und falls dir nicht danach zumute ist, transferiere dich in die Stadt, auf die Spitze des Tempels, suche die Bäckereien unter den Häusern heraus und schwebe zu ihnen hin. Dort gibt es auch zahlreiche Brunnen.«

Er sah Masmo schweigend an.

»Warum willst du nicht du selbst, sondern Mensch sein? Du willst doch wohl nicht auf diese Art und Weise die Menschen zu verstehen suchen. Ich war niemals Mensch, doch denke ich, daß ich sie gut kenne. Sie wollen essen, trinken, sich lieben, einander so viel wie möglich abknöpfen und den Tod vergessen. Alles übrige ist Dekor und Schein. Warum willst du sie daran hindern. Du möchtest, daß sie anders werden. Sie legen aber keinen Wert darauf. Schau dir dieses schöne Land am Binnenmeer an.« Masmo schwenkte die Hand, und für eine Zeitlang verschwanden die Felsen und an ihrer Stelle erblickte Admis von der Umlaufbahn aus die unter ihm vorbeiziehenden grünen Felder, Wälder, Städte und Meere.

»Wenn du bloß den Wunsch äußern würdest, in Menschengestalt ein echter Herrscher von all dem zu sein, so genügte mir ein einziges Wort. Ich werde dir dann dienen. Alle werden glücklich sein. Du aber willst es zerstören. Du möchtest, daß ihre Felder vom Unkraut überwachsen werden, ihre Städte in Ruinen versinken und die Barbaren in den Brunnen ihre Pferde tränken.

Damals, als du mich isoliert hast, bin ich hier geblieben, um ihnen einzuflüstern, wie leicht Lust und Vergnügen erreichbar sind und wie schnell sich der Tod vergessen läßt. Glaubst du denn, Herr, daß du imstande bist, daran irgend etwas zu ändern? Du hast schon Städte vernichtet, Felder mit Wasser und Schlamm überschwemmt, sie mit Giftgasen aus dem Planeteninneren vergiftet, aber sie vergessen alles, und alles bleibt, wie es war. Ich verstehe sie wirklich, nicht du, Herr . . .« – Masmo verstummte und blickte zu Admis hin. Die Felsen waren wieder auf ihren Platz zurückgekehrt, und Admis fühlte, wie sie die Sonnenstrahlen zurückwarfen und seinen Körper erwärmten. Nur die verscheuchten Geier verschwanden hinter dem Horizont.

Admis schluckte nur mühsam den Speichel hinunter.

»Geh weg, Masmo!« flüsterte er. »Du dienst mir sowieso.«

Er war wieder in der Kammer und hörte das Plätschern des Brunnens.

»Du hast es gesehen, Herr«, stellte Masmo fest.

»Ja, er hat dich beiseite geschoben, und ich glaube, daß ich dasselbe tun werde; allerdings werde ich mich dann für immer zurückziehen.«

»Du kannst es dir leisten, Herr, das konntest du immer tun.«

»Diesmal werde ich es tun.«

»Du willst, Herr, bisweilen genauso wie ein Mensch handeln, dessen Gestalt du trägst, und nicht wie einer, der in der Überzeitlichkeit besteht. Womit habe ich dich denn so gekränkt? Doch nicht durch dieses kleine Stilleben, das ich arrangiert habe. Damit, daß du eine Frau berührt hast, die bewirkte, daß du den von dir getragenen Körper wahrnimmst. Diese Wahrnehmung hast du in der Überzeitlichkeit versäumt, und nur dort weißt du über ihn Bescheid, wie du über alles Bescheid weißt. In Wirklichkeit empfindest du die Gestalt dieses Gefühls erst in der Zeit, wenn es zum Augenblick und zur Erinnerung wird. Du wirst, Herr, alle Tage und Nächte auf diesem Planeten an sie denken.«

»Ich bin nicht nur Mensch!«

»Du bist es weitaus mehr, als du vermutest, Herr, genauso wie Admis es auch ist. Du weißt doch, daß ihr jetzt eine Einheit und zugleich keine Einheit seid. Jetzt willst du mich vernichten, in der Überzeitlichkeit jedoch hast du mich immer mit einem Wohlwollen behandelt, in dem ich manchmal sogar eine Spur von Liebe erahnte.«

»Du rührst mich, Masmo!«

»Das sagst du auch wie ein Mensch, Herr. In der Überzeitlichkeit gibt es diese Empfindung nicht, denn sie stammt aus der Zeit und nicht aus der Überzeitlichkeit.«

»Ja, genauso, wie es dich dort nicht gibt, Masmo, und nie geben wird. Ich bin nur hier in zwei menschlichen Körpern eingeschlossen, unvollkommenen Gebilden mit engen Informationskanälen, ähnlich einem Atom in einer Gravitationsschlucht, und du hast dadurch einen Zugang zu mir erhalten, der in der Überzeitlichkeit für dich nicht existiert. Und was machst du? Du täuschst Admis mit Truggebilden und mich mit dem Phantom eines Frauenkörpers, du schickst

Reiter, damit sie die Menge, und wenn es glückt, auch Admis, zertrampeln. Du behandelst uns mit der gleichen Verachtung, mit der du die Menschen behandelst, die deiner Auffassung nach Automaten sind, die auf ein Signal zu essen verlangen oder hassen sollen. Seit achttausend Umläufen dieses Planeten um seine Sonne dulde ich dich hier, Masmo. Du kannst jedoch zu existieren aufhören, bloß ist in der Überzeitlichkeit kein Platz für dich vorhanden.«

»Herr, du hast immer recht. Doch wenn ich zu existieren aufhöre, wirst du gezwungen sein, außerhalb von dir ein anderes, gleichermaßen unvollkommenes Gebilde ins Dasein zu rufen, denn wo es keine Überzeitlichkeit gibt, gibt es für die Überzeitlichkeit auch keine andere Methode zur Messung der Vollkommenheit.«

»Ist dir aufgefallen, Masmo, daß sogar die Geier verschwinden, sobald du auftauchst? Du bist auch ein Geier, nur schmarotzt du auf dem Bewußtsein der Vergänglichkeit der Wesen dieses Planeten. Du hast keine anderen Zielobjekte für deine Handlungen, denn nur in dieser einen, einzigartigen Gattung auf diesem Planeten weiß jedes Individuum der Gattung fast von Geburt auf, daß es einmal zu existieren aufhören wird. Jahrtausende werden vergehen und andere Arten, die sogenannten Tiere, werden sich eine einfache Sprache aneignen, in der sie die Existenz ihres eigenen Ichs ausdrücken können, doch werden sie nie das Bewußtsein eines Todes erlangen, mit dem man leben kann, allerdings anders als ohne dieses Bewußtsein. Du bist zu dieser einen einzigartigen Gattung verurteilt, Masmo.«

»Ich will nur ihr Glück, Herr.«

»Ich auch, und dadurch unterscheiden wir uns. Und nun verschwinde! Ich befehle es dir.« Er blieb allein und bemerkte sodann, wie die Schatten der Säulen über den Fußboden wanderten und die Zeit verging.

»Dieser Mann ist fort.« Visa stand mit einem Krug Wein vor ihm. »Ich habe gewartet, bis Ihr mich zurückruft, Herr, und wollte Euer Gespräch nicht stören. Aber er ist verschwunden ...«

»Er hat sich entfernt. Du hast es nicht bemerkt. Du hast wohl an etwas anderes gedacht, an etwas, woran Mädchen in deinem Alter meistens denken.«

»Nein, Herr. Ich sah ihm zu, wie er verschwand. Er wurde durchsichtig und dann gab es ihn nicht mehr. Und dieser seltsame Geruch noch dazu ...«

»Visa. Er ist fortgegangen. Verstehst du?«

»Ja, Herr. Soll ich Euch Wein einschenken?«

Er nickte und sah zu, wie sie sich zu ihm neigte und den Becher auf den niedrigen Tisch stellte, um aus dem Krug Wein einzuschenken. Und dann empfand er einen undefinierbaren Schmerz, daß er nicht der Befehlshaber der Reiterei und der Politiker war, dessen Körper er trug. Das dauerte jedoch bloß eine Weile, und als sie vorbei war, spürte er bloß einen übermächtigen Hauch von Kälte und den unveränderten Andrang der Überzeitlichkeit.

IV. Kapitel

Er ging auf der Terrasse die Brüstung entlang auf und ab und wartete auf die Stimme. Sie gelangte von seitlich des Tempels zu ihm, durch die Entfernung gedämpft. Sie klang klar durch die Stille der Dämmerung: dreimal erschallten die Trompeten. Er blickte zu dem jetzt dunklen Himmel im Osten und bemerkte drei Sterne. Ihm stand eine anstrengende Nacht bevor.

Als erster traf Ardo ein, der Kommandant der Garnison, derselbe junge Mann, fast noch ein Knabe, mit gekräuseltem braunen Haar, das ihm in den Nacken fiel, breitem Gürtel mit silbernen Beschlägen und einem kurzen Schwert in der Lederscheide. Auf seinen Befehl hin war die Reiterei am Tag gegen die Menge vorgegangen.

»Heil dem Imperator!« sagte er und blieb drei Schritte vor dem Proktor stramm stehen.

»Salve«, erwiderte dieser und fügte dann leise hinzu: »Komm mit mir! Wir müssen miteinander sprechen, die Sache ist ernst.« Er ergriff ihn am Arm und führte ihn zu den Säulen und zum Eingang in die Kammer, wo die Diener inzwischen die Öllampen entzündeten.

»Hast du keine Sehnsucht nach der Haupstadt, Ardo?« fragte er ihn. Manchmal, wenn sie allein waren und sie die Soldaten nicht hören konnten, nannte er ihn beim Namen.

»Warum fragt Ihr, Proktor?«

»Ich will es wissen.«

»Der Imperator hat mich hierher entsandt und wird mich auch wieder von hier abberufen.«

»Das ist gewiß, aber er kann dich von hier als Sieger oder als Unterlegenen abberufen.«

Sie gingen in Richtung des Brunnens und hielten dort inne, so daß das Rauschen des fallenden Wassers ihre Worte übertönte.

»Worauf wollt Ihr hinaus, Proktor?«

»Kann sein, daß wir hier einen heißen Frühling erleben.«

»Ich bin immer darauf gefaßt, für das Vaterland zu sterben.«

»Oh, das ist nicht besonders schwer, Ardo, aber das Vaterland verlangt etwas mehr von dir.«

»Ich höre auf Eure Befehle, Proktor.«

»In der Stadt beginnt der Aufruhr.«

»Ich weiß, Herr.«

»Sprich!«

»Es ist ein Aufwiegler aufgetaucht, und ein Teil des Volkes hört auf ihn.«

»Was sagt er?«

»Ein Soldat hört auf so etwas nicht, Herr.«

»Nun ja, was verkündet er denn?«

»Er redet von der Zerstörung der Stadt und von einem neuen Königreich.«

»Nichts weiter?«

»Nichts, was für uns von Interesse sein könnte.«

»Welche Maßnahmen hast du getroffen?«

»Ich habe für morgen drei Hundertschaften Fußsoldaten und zwei Abteilungen der Reiterei abkommandiert, falls es zu einem Aufruhr kommen sollte. Ich habe die Kommandanten wissen lassen, daß, sollte jener Mann während der Unruhen zufällig verschwinden, die Truppen drei Faß Wein bekommen.«

»Du hebst diesen Befehl auf!«

»Jawohl, Herr.«

»Du ziehst auch die Truppen zurück!«

»Jawohl.«

»Du nimmst dafür eine Hundertschaft, läßt sie die Kleider des gemeinen Volkes anlegen, und unter der Kleidung versteckt mit Dolchen und Knüppeln bewaffnen. Die derart verkleideten Soldaten werden sich unter die Menge mischen und diesen Mann beschützen. Die Tempelwachen werden versuchen, gegen ihn einzuschreiten. Falls nach diesem Angriff weniger von ihnen übrig sind, werde ich es euch nicht vorhalten. Wein genug für tapfere Soldaten haben wir auch.«

»Habe ich recht verstanden? Ich soll ihn *schützen*?«

»Du hast recht verstanden. Ohne meinen persönlichen Befehl ist die Menge nicht zu zerstreuen! Ich wiederhole: meinen persönlichen.«

»Jawohl, Proktor.«

»Das ist noch nicht alles. Du nimmst fünf Hundertschaften und Reiterei. In Reih und Glied wirst du am Palast des Priesters vorbei und durch den Hof des Tempels marschieren. In voller Ausrüstung.«

»Ich verstehe.«

»Darüber hinaus besteht ab morgen früh volle Alarmbereitschaft für alle Einheiten.«

»Jawohl, Proktor. Ist die Sache denn so ernst?«

»Glaubst du, ich würde mich sonst darum kümmern?«

»Darf ich Euch noch etwas fragen, Proktor?«

»Nur zu!«

»Ist dieser Mann ein Emissär des Imperators?«

»Das braucht der Garnisonskommandant nicht zu wissen.«

»Jawohl.«

»Aber ich sage dir, daß ihn der Herrscher sicher hierher entsandt hat.«

»Ich verstehe.«

»Ich bezweifle es, Ardo. Doch vergiß die Hauptstadt nicht. Du kannst bald dorthin zurückkehren, und es gibt im Imperium genug Provinzen für tapfere Soldaten. Nun entferne dich und melde morgen früh die Ausführung der Befehle!«

»Heil dem Imperator!« antwortete Ardo, machte eine Kehrtwendung und verschwand in der Finsternis.

Der Proktor lächelte und blickte in die Nische, wo das in eine Wasseruhr tropfende Wasser die Zeit maß. Er wußte, daß das nächste Gespräch für ihn schwerer sein würde. Er ging in seine Kammer, verriegelte mit einer Handbewegung die Tür und lehnte sich dann unter dem Helm in den Sessel zurück.

Sie stiegen die breite, mit Teppich belegte Treppe hinauf, der Sekretär des Präsidenten voran. Wo die Treppe aufhörte und der Korridor begann, standen beiderseits der Stiege zwei Gardesoldaten in grünen Uniformen und Helmen. Sie standen reglos da, und es sah aus, als ob sie ihn gar nicht bemerkt hätten. Mit einiger Verwunderung stellte er plötzlich fest, daß sie Maschinenpistolen über der Brust hängen hatten. Gewöhnlich trug der innere Palastschutz die Waffen nicht so ostentativ. Er dachte, daß ihre Ruhe auch trügerisch sei, und wenn er hier allein, ohne Sekretär und der ganzen komplizierten Anmeldeprozedur, die er durchgemacht hatte, hereingekommen wäre, wäre er hier wohl schon auf den ersten Stufen von Kugeln durchsiebt hingesunken.

Sie passierten die Wachtposten und traten in einen geräumigen Saal mit zahlreichen Stilleuchtern an den Wänden. Hier lag auch ein Teppich, in der Mitte stand ein großer schwarzer Tisch und an den Seitenwänden gab es wuchtige mehrteilige Bücherschränke. Es gab keine Stühle, und nur vor dem großen Fenster, das jetzt mit Gardinen verhangen war, befand sich eine massive Bank aus dem gleichen Holz wie die Schränke und der Tisch. Nur eine Tür gab es in diesem Raum und davor hielten zwei Soldaten Wache.

»Warten Sie bitte einen Augenblick«, sagte der Sekretär

und öffnete die Tür. Die Visitenkarte in der Hand, verließ er den Raum. Der Mann ging zur Bank hin, stellte seine schwarze Mappe ab, setzte sich jedoch nicht nieder. Von irdendwo hinter dem Vorhang hörte er das dumpfe Geräusch der Klimaanlage und spürte einen zarten Lufthauch auf den Wangen. Es war still, lediglich aus der Ferne drang das von den Mauern gedämpfte Geräusch einer Explosion an seine Ohren.

Der Sekretär kam zurück.

»Der Herr Präsident läßt bitten«, sagte er und griff nach der Mappe.

»Muß das sein?« fragte der Mann. »Ich habe wichtige Dokumente mit.«

»Leider«, der Sekretär lächelte entschuldigend. »Wir erhalten solche Anweisungen und müssen uns auch Ihnen gegenüber an sie halten.« Er gab ihm die Mappe und folgte dem Sekretär, der die Tür leicht öffnete und ihn vorbeiließ, selbst allerdings nicht eintrat.

Als die Tür sich hinter ihm geschlossen hatte, ließ er den Blick durch das Zimmer schweifen, über den riesigen Schreibtisch, bei dem ein kleingeratenes, schmächtiges Männchen mit graumeliertem Haar stand und seine Visitenkarte in der Hand hielt.

»Herr Parakletos«, er näherte die Visitenkarte den Augen und sprach seinen Namen nicht ohne Schwierigkeiten aus. »Sehr erfreut, Sie kennenzulernen.«

»Danke für den raschen Empfang, Herr Präsident.«

»Nun, unsere Freunde haben das in ihrem letzten Fernschreiben verlangt. Verzeihen Sie, aber ich habe Sie mir etwas anders vorgestellt, als einen etwas älteren Herrn.«

»Ich bin es gewöhnt. Ihre Höflichkeit erstaunt mich sogar. Andere, möglicherweise weniger taktvolle Führer vergleichen mich etwa mit dem Vertreter einer großen Computerfirma oder sonst jemandem dieses Schlags.«

»Wissen Sie, da ist doch etwas daran.«

»Anonymität, Herr Präsident. Anonymität ist unser Prinzip.«

»Klar. Trinken Sie Sherry oder Cognac?«

»Nein, danke. Wir haben nicht viel Zeit zu verlieren. Können wir hier reden?«

»Nicht schlechter als anderswo«, lächelte der Präsident. Dann hörte er auf zu lächeln, denn hinter dem Fenster, nicht weit vom Fenster, unweit des Palastes, fing ein Maschinengewehr zu rattern an.

»Sie bedrängen uns«, sagte der Präsident. »Hören Sie?«

»Ja.«

»Dann kennen Sie die Lage bereits. Was schlagen Sie vor?«

»Um ehrlich zu Ihnen zu sein, Herr Präsident, es handelt sich nicht um eine Handvoll Verzweifelter, sondern um eine organisierte Bewegung.«

»Fanatiker!«

»Jedenfalls ändert das nichts an ihrer Schlagkraft.«

»Wenn ich ihren Anführer zu fassen bekäme, würden sie wie eine Schar Ratten auseinanderlaufen.«

»Und wenn dieser Anführer bloß den Willen des Volkes zum Ausdruck brächte?«

»Das klingt pathetisch und natürlich scherzen Sie. Bis vor kurzem waren in diesem Lande alle zufrieden und lebten in Wohlstand.«

»Fast alle.«

»Was heißt fast alle?«

»Alle mit Ausnahme einer endlichen Zahl.«

»Sie drücken sich amüsant aus. Das kann bedeuten niemand – oder sehr viele.«

»Eben.«

»Aber das stimmt nicht.«

»*So* kann die Wahrheit aber auch sein.«

»Mag sein ... mag sein ... Aber was ist denn Wahrheit?«

Der Präsident schwieg eine Weile, als würde er auf eine Antwort warten.

»Sogar wenn Sie recht hätten, habe ich übrigens die Macht: die Armee, die Geheimpolizei, das Geld.«

»Sie würden gerne seinen Kopf kaufen.«

»Ja.«

»Und wenn er nicht zum Verkauf feil wäre?«

»Ich meine, das ist eher eine Frage des Preises.«

»Und wenn nicht?«

»Ich werde dieses Land bis zum Äußersten verteidigen.«

In diesem Augenblick erlosch das Licht, flammte aber wieder auf, wenn auch gelblich und weniger intensiv. Zur gleichen Zeit hörten sie das ferne Echo einer Detonation.

»Schon wieder haben sie die Elektrizitätswerke beschädigt«, sagte der Präsident, »und die Notbeleuchtung hat sich eingeschaltet.« Als der Besucher nicht antwortete, fügte er hinzu: »Halten Sie es für möglich, daß sie gewinnen können? Daß das, was sie wollen, wirklich besser ist?«

»Vielleicht ist es einfach die Gesetzmäßigkeit der Entwicklung?«

»Unmöglich. Ihr Sieg ist ein Chaos, das all das zerstört, wofür wir leben. Was wird aus dem Land werden, wenn sie siegen? Die Gesetzmäßigkeit der Entwicklung ist eine Theorie und wir leben doch in diesem Land, in dieser Stadt, Herr Parakletos. Auch wenn das, wovon wir reden, wahr sein sollte, muß ich trotzdem dieses Land verteidigen. Auch wenn sie diese Stadt in Trümmer legen, haben wir noch andere Städte. Ich und meinesgleichen haben keine andere Wahl, denn wir haben nur dieses eine Leben und wollen so leben, wie wir leben. Ich werde mich auf keine Kompromisse einlassen und diese Bewegung und ihren Führer zerschlagen.« Auf dem Schreibtisch ertönte das Piepsen des Interkoms.

»Entschuldigen Sie bitte«, sagte der Präsident und drückte auf die Taste.

»Bitte«, sagte er in Richtung zum Mikrophon.

»Ich verstehe es nicht, Herr Präsident.« Die Stimme des Sprechers geriet ins Stottern und brach ab. »Hier ist ein anderer Besucher, der zu Ihnen will. Doch ist bereits einer bei Ihnen.«

Der Präsident zuckte zusammen, krümmte den Rücken und blickte seinen Besucher direkt an.

»Sie wollen mich umbringen ...«, sagte er leise.

»Nein. Fürchten Sie sich nicht.«

Der Präsident beobachtete zusammengekrümmt noch eine Weile den Besucher, und als dieser immer noch dastand, ohne eine einzige Bewegung zu machen, richtete er sich plötzlich auf.

»Zu mir«, schrie er ins Interkom, und als die Soldaten angelaufen kamen und den Besucher an den Händen ergriffen, setzte er sich nieder, ohne ihn anzusehen, und sagte:

»Erschießen! Auch den Sekretär erschießen!«

Er stand dem Greis gegenüber und betrachtete dessen schwarze Augenhöhlen, in die das Licht der Öllämpchen nicht gelangte, und dessen weiße Strähnen. Er spürte auf seinem Körper die Hände der Posten, die seine Arme festhielten.

»Steinigen«, wiederholte der Greis. »Und kein Wort, zu niemandem. Und du, Ankömmling, der du mich töten wolltest, merke dir, bevor du stirbst, daß kein Aufwiegler imstande ist, die Macht des Hohepriesters zu brechen, und ihm bald der Kopf fehlt, so wie du ihn jetzt verlieren wirst. Und drohe mir nicht mit der Vernichtung der Stadt. Ich höre diese Drohung und lache darüber. Die Priester werden vor dem Verführer und einigen wenigen Dummköpfen, die hinter ihm stehen, kaum auf die Knie fallen, und sie werden sich zerstreuen, sobald er tot ist. Abführen!«

Er leistete keinen Widerstand, als man ihn durch die Arkaden schleppte. Sie stolperten über den Körper des Mannes, der ihn hier hereingelassen hatte. Einen Körper mit einem Schwert im Rücken und Blut auf dem Gewand. Erst auf der Treppe löste er sich auf und hörte noch im Verschwinden das Geschrei der Männer, die ihn abführten. Er wußte, daß auch sie den nächsten Tag nicht mehr erleben würden.

Er legte den Helm ab, erhob sich aus dem Sessel, und die Wand verschloß sich hinter ihm und verbarg den Apparat. Er spürte die Müdigkeit. Er mußte daran denken, daß der Organismus, in dem er sich befand, solche Überbelastungen nicht aushielt und daß sein Ende in der Zeit nicht mehr allzu fern lag. Irgendwo in den Abgründen der Erinnerung wurde er von fremden und unbekannten Bildern heimgesucht, das Bild einer Wiese mit bunten Blumenflecken an einem ruhigen Sommernachmittag, einem in Windungen dahinfließenden Strom, dessen Tropfen beim Baden an seinem Körper klebten und in der Sonne trockneten, einem angenehmen Gefühl der Kühle, Stimmen seiner Altersgenossen, die Fische angelten, und dem leisen Gesumme der Bienen über den Blüten. Wie alt mochte er damals gewesen sein? Zehn, vielleicht zwölf. Dann übermannte ihn die Erinnerung an eine Allee im Garten und den Mond, der voll über den Bäumen stand. Die schwüle Nachtluft mit ihrem Blumenduft und das Bewußtsein der Erwartung, einer unbestimmbaren Unrast mit den aufgebrachten Schreien der Nachtvögel als Hintergrund.

»Wer war der Mensch, dessen Körper ich trage?« fragte er halblaut.

»Ich soll dir antworten, Herr.«

Er hatte diese Stimme nicht erwartet und beherrschte sich nur mit Mühe.

»Ich sagte dir doch, daß du mir aus dem Weg gehen sollst.«

»Du hast mich gefragt, Herr, ich habe geantwortet.«

»Nicht dich habe ich gefragt.«

»Außerhalb der Überzeitlichkeit weiß das niemand besser als ich, Herr, aber du bist nicht der einzige, der über das Gewesene nachdenkt. Der Priester, den du kürzlich verlassen hast, dieser Alte mit den grauen Haaren, schläft nicht und starrt in die Öllampe in der Nische seiner Stube. Er ruft sich ebenfalls die glückliche Jugendzeit ins Gedächtnis.«

»Woher willst du das wissen, Masmo. Du kannst doch nicht wissen, was ich denke.«

»Alle Menschen sind einander ähnlich und denken in einer Nacht wie dieser an das, was sie in der Zeit zurückgelassen haben, an das, was nicht mehr wiederkehren wird. Nie mehr.«

»Und du weißt das?«

»Sobald du in die Zeit eintrittst, beschäftigst du dich mit allem. Ich hingegen nur mit den Menschen.«

»Dieser Alte also auch, genau wie ich ...«

»Und der Präsident, den du gesehen hast, und der bald in seinen Amtsräumen, von einer Granate zerrissen, ums Leben kommen wird, und der König der Insel inmitten des Binnenmeeres, und sogar der Kommandant der Hundertschaft, sie alle erinnern sich an die Jugend. Sie alle klammern sich beharrlich an der letzten Leidenschaft ihres Lebens fest: der Macht, und doch erinnern sie sich auch an das Verflossene.«

»Sogar alte Hunde, Masmo, erinnern sich an ihre Jugend.«

»Aber sie bereuen es nicht, Herr.«

»Was ich mir in Erinnerung gerufen habe, ist doch nicht meine Jugend. Es ist die Jugend dieses Reiters, dessen Körper ich trage, samt seinen vom Sattel krumm gewordenen Beinen.«

»Verzeiht mir, Herr, es ist aber doch auch deine Jugend. Sogar du, Herr, kannst nicht zugleich Mensch sein und nicht Mensch sein. Nur in Erinnerungen.«

»Du wagst es, Masmo, mir zu unterstellen, daß ich auch

dieser, wie du es genannt hast, letzten Leidenschaft unterworfen bin.«

»Nicht ich habe das behauptet, Herr.«

»Es stimmt einfach nicht.«

»Wenn dem so wäre, wie du behauptest, würdest du verschwinden und in die Überzeitlichkeit eingehen.«

»Ich verstehe, Masmo, du willst, daß ich sie alle preisgebe und nur aus der Überzeitlichkeit zusehe, wie du diese Welt veränderst. Dir ist die ›letzte Leidenschaft‹ unbekannt, weil du nicht anders bist als sie selbst. Deswegen hast du es nicht in der Überzeitlichkeit ausgehalten. Und jetzt willst du mich von dem abbringen, was geschehen muß?«

»Dazu bin ich nicht imstande, Herr. Was geschehen wird, ist in der Überzeitlichkeit fixiert.«

»In der Überzeitlichkeit ist alles. Das Kontinuum der Modelle möglicher Welten. Hier jedoch ist die Welt auf sich allein gestellt, und ich werde sie dir nicht überlassen.«

»Ich weiß, Herr. Ardo führt bereits meine Befehle aus. Morgen werden die Soldaten in die Stadt einrücken, obwohl alles ruhig ist.«

»Es sind nicht wie dort die Feuerstöße von Maschinengewehren und die Explosionen von Bomben zu hören. Aber sie ist keineswegs ruhig, sie wartet.«

»Auf deine Soldaten, Herr?«

»Du wirst von mir nicht erfahren, was geschehen wird, Masmo. Und nun befehle ich dir, verschwinde!«

Er wandte sich zur Tür und ging in den Kontaktraum zurück.

Er setzte den Helm auf und mit exaktem Peilen versetzte er sich in das Flaggschiff der Flotte, das unsichtbar jenseits der Lufthülle über der Stadt schwebte. Er bildete dort keine Gestalt aus, denn das hätte keinen Zweck gehabt. Er schwebte über der Stadt im Raum, die jetzt in den fahlen Lichtern der Lämpchen aufleuchtete, blasser als die Sterne über ihm.

»Bist du es, Micho?« dachte er.

»Ja, Chef.«

»Bereite eine schwache Gravitationserschütterung vor, eine, die in den Ländern rund um das Mittelmeer nicht viel Schaden anrichtet. Dann polarisiere das Licht der Sonne, damit sie sich verfinstert.«

»Und hier?«

»Eine Kernexplosion mittlerer Stärke.«

»Du wirst dort sein, Chef.«

»Ja. Ich und Admis, aber das ist unwesentlich.«

»Ich weiß.«

»Und diese Menschen?«

»Gab wird von Admis die Namen jener bekommen, die gerettet werden müssen.«

»Die alte Prozedur, Chef?«

»Ja.«

»Er muß sie informieren und über den Verseuchungsradius hinausführen.«

»Lege mit ihm den Standort in allen Einzelheiten fest. Und halte dich bereit, wenn die Sonne zum zweitenmal aufgeht.« Dann kehrte er in seine Kammer zurück, schloß hinter sich die Wand und warf sich auf das Lager nieder. Er fiel sofort in einen Schlaf ohne Träume und Phantasmagorien, in den Schlaf eines von der Arbeit erschöpften Menschen.

V. Kapitel

Er wartete im Hof der Festung auf Kario, und einige Schritte hinter ihm stand eine Sänfte. Die Träger, stämmige braungebrannte Sklaven, erholten sich jetzt in ihrem Schatten, weil er es ihnen erlaubt hatte. Seine Leibwache, vier bewaffnete Soldaten in Helmen und Harnischen, standen daneben in der Sonne, wie es die Dienstordnung verlangte, und betrachteten mit ihm gemeinsam die ausrückenden Truppen. Die Soldaten standen in voller Ausrüstung in Reih und Glied.

Er vernahm das Klirren von Metall und die Kommandorufe der Hundertschaften, als die Soldaten ihre Reihen schlossen. Aus dieser Entfernung konnte er zwar die Gesichter der einzelnen Soldaten nicht erkennen, doch wußte er, daß ihnen der Schweiß von der Stirn troff und war sich sicher, daß sie ihn, den Proktor des Imperiums, dafür verwünschten, daß er sie hier an einem glühendheißen Vormittag stehen und in Reih und Glied marschieren ließ, anstatt daß sie im Schatten liegen, mit Wasser vermischten Wein oder Essig trinken und Turniere austragen konnten, für die man auf den Platten des Hofes einen Fechtboden errichtet hatte.

Die Reiterei sammelte sich unten in einem anderen Hof, und zu ihm drang bloß das Wiehern und Stampfen der Pferde.

Auf der anderen Seite des Hofes stand der Pöbel, den man hier hereinließ, damit ihm der Anblick der militärischen Macht des Imperiums zuteil werde. Er ging in diese Richtung, damit es Kario leichter fiele, ihn zu erreichen. Seine

Eskorte folgte hinter ihm, und auch die Sklaven rafften sich auf, trugen die Sänfte mehrere Meter weiter und setzten sich dann wieder in ihren Schatten. Die Fußsoldaten richteten die Reihen aus, machten Kehrtum und marschierten unter dem rhythmischen Klatschen der Sandalen zum Tor. Nachdem ihm im Morgengrauen Ardo Meldung erstattet hatte, verbot er den Soldaten, ihn zu grüßen, war sich aber sowieso dessen bewußt, daß sie ihn anstarrten.

Als sie jetzt in einigen Schritt Entfernung an ihm vorbeimarschierten, wurde ihm der mit Schweiß vermischte Fellgeruch ihrer Ausrüstung bewußt.

Den letzten Einheiten schenkte er keine Aufmerksamkeit, denn er hielt lediglich nach den hageren Umrissen Karios Ausschau. Suchend sah er zu der aus der Stadt hierhergeströmten Menge hin. Schließlich bemerkte er Kario, der sich durch die Menge drängte. Als die letzten Soldaten abrückten, drängten sich aus der Menge einige Menschen zu ihm. Langsam und tief verbeugten sie sich, um nicht das brutale Eingreifen der Leibwache herauszufordern. Wie immer bei solchen Anlässen wollten sie die Gelegenheit nützen, um ihm ihre Anliegen vorzubringen oder für irgendwelche kleine Vergehen um Gnade zu bitten, denn er war der höchste Richter, und nur die Bürger des Imperiums konnten beim Imperator selbst vorstellig werden.

Wie immer zeigte er, eine Sekunde des Schwankens vortäuschend, auf Kario und schickte die übrigen mit einer Handbewegung fort.

Ein Soldat der Wache näherte sich Kario, durchsuchte ihn und kontrollierte, ob er kein Messer oder sonst eine Waffe trug. Dann ließ er ihn gehen. Kario trat an den Proktor heran und fiel mit den Worten auf die Knie:

»Seid gegrüßt, Proktor!«

»Steh auf!« sagte der Proktor und befahl den Soldaten, sich außer Hörweite zu entfernen. Der Hof leerte sich, und die Wachen trieben die letzten Gaffer beim Tor hinaus.

Kario erhob sich und dabei bemerkte der Proktor, daß jener einen Lederschurz mit riesigen Geldtaschen trug, wie es sein Beruf erforderte.

»Sprich!« sagte er zu Kario.

»Die Stunde der Gerechtigkeit naht, Herr. Alle lauschen Admis und ehren ihn. Seine Wahrheit ist eine große Wahrheit und trifft die Herzen der Menschen. Die Menge lechzt nach seinen Worten, und die Menschen verehren ihn.«

»Ich hoffe, du bezahlst die Leute nicht dafür, daß sie ihm zu Ehren jubeln.«

»Das würde ich nie wagen, Herr. Admis würde es mir nie verzeihen.«

»Du hast es selbst einmal vorgeschlagen.«

»Das ist schon sehr lange her, damals wußte ich noch nicht, wo die Wahrheit liegt.«

»Und jetzt?«

»Sein Königreich wird kommen, Herr. Ihr freut Euch doch auch darauf und verehrt ihn. Sonst würdet Ihr nicht so viel Geld für ihn und seine Schüler aufwenden.«

»Der Sieg wird nicht leicht zu erringen sein, Kario. Das Reich wird nicht von alleine kommen ...«

»Ich weiß, Herr. Die Priester schmieden Ränke gegen uns. Sogar Eure Soldaten ...«

»Es ist ein Irrtum, ein Intrigenspiel dunkler Kräfte ...«

»Das habe ich mir gedacht, Herr. Doch sprach ich es nicht aus, weil Ihr es mir verboten habt.«

»Und ich verbiete es dir weiterhin. Niemand, nicht einmal Admis, darf wissen, daß du meine Befehle ausführst.«

»Ja, Herr.«

»Falle jetzt auf die Knie nieder und höre mir aufmerksam zu ...« Er wartete und sprach erst weiter, als Kario kniete. »Die Priester zetteln eine Verschwörung an. Sie wollen Admis töten. Ich kann ihn jetzt nicht schützen, wenn er sich irgendwo in der Stadt aufhält. Seine Schüler werden den Wachen der Priester kaum die Stirn bieten können, und er kann jederzeit, ob tags oder nachts, umkommen. Ich muß ihn schützen, Kario, und du wirst mir dabei helfen.«

»Sofern ich dazu imstande bin, Herr.«

»Du bist es!«

»Was soll ich tun?«

»Du wirst zum Hohepriester gehen und lieferst ihm Admis aus.«

»Ich verstehe nicht, Herr.«

»Du gehst zum Hohepriester und verkaufst ihn ihm. Du verlangst für seine Auslieferung Geld.«

»Das werde ich nicht tun, Herr. Ich liebe ihn.«

»Kario, du liebst ihn, und es ist dir lieber, wenn er ums Leben kommt, in einem Gassenwinkel erstochen oder beim Essen von Schwertern zerstückelt? Du willst ihn verblutet und tot sehen?«

»Nein, Herr.«

»Dann tu, was ich dir sage!«

»Ich werde ihn nicht verkaufen. Das bringe ich nicht über mich.«

»Mensch! Es gibt keine andere Wahl. Meine Soldaten können ihn nicht einfach anhalten und in Schutzhaft nehmen.«

»Also wollt Ihr, Herr, daß er dem Hohepriester in die Hände falle. Er wird ihn umbringen lassen. Er wird seinen Wachen befehlen, ihn schon bei der Verhaftung zu töten.«

»Nein, Kario, denn dort werden meine Soldaten sein. Sie werden es nicht zulassen. Ich werde darauf achten.«

Kario schwieg eine Weile und fuhr dann fort: »Ihr vermögt viel, o Herr, doch unterschätzt Ihr die Heimtücke des Hohepriesters. Verzeiht, daß ich es wage, Herr, so zu reden, aber ich weiß es. Ich komme aus diesem Volk, nicht Ihr. Er wird ihn umbringen, Herr, und weder Ihr noch ich werden jemals seinen Leichnam zu sehen bekommen.« Kario schwieg und beugte den Kopf noch tiefer zu den Steinplatten des Hofes hinunter.

»Wenn ich, der Proktor, Bescheid weiß, daß Admis in seiner Hand ist, wird er es nicht wagen, ihn umzubringen. Er wird ihn vor Gericht stellen müssen. Dann wird Admis vor den obersten Würdenträgern eine Rede halten und sie vielleicht überzeugen. Diejenigen, die nicht glauben werden, werden wie die anderen umkommen. Doch haben sie ihn bis jetzt nicht einmal gehört; sie haben ihn sogar nicht einmal gesehen. Du hast ihm einst nicht geglaubt, und jetzt glaubst du doch an ihn. Diese Würdenträger sind doch Menschen. Mögen sie ihn sehen und hören. Man kann ihnen nicht bloß deswegen ihr Recht nehmen, weil sie reich und mächtig sind. Das, was Admis verkündet, richtet sich an alle, an Sklaven und deren Besitzer, an armselige Bettler und an Reiche, die ihr ganzes Leben lang nichts getan haben und von der Arbeit der anderen leben. Für sie alle gibt es Hoffnung, also auch die Liebe und die Vergebung, die in der Hoffnung sind.«

»Wovon redet Ihr, Herr. Der Hohepriester wird daran nichts ändern. Auf solche Geschäfte läßt er sich nicht ein. Er wird davon nicht einmal etwas hören wollen. Für ihn ist alles so, wie es sein soll. Das Volk bringt Opfer, und Gott bekommt alles, was ihm zusteht. Und jedes Opfer wird bei den Verkäufern des Hohepriesters gekauft, er bekommt also ebenfalls das, was ihm zusteht. Es ist ein todsicheres Geschäft, sowohl für Gott, als auch für den Hohepriester. Würdet Ihr Euch, o Herr, wenn Ihr anstelle des Hohepriesters wärt, ein solches Geschäft verderben lassen? Glaubt Ihr, daß er es zulassen wird, Herr?«

»Nein. Doch damit die Gerechtigkeit siegen kann, muß auch dieser Versuch unternommen werden.«

»Und dann werden die Priester Admis zum Tode verurteilen.«

»Wenn sie ihn verurteilen, wird die Gerechtigkeit siegen und die Strafe wird alle, die ihn verurteilt haben, ereilen.«

»Wißt Ihr das sicher, Herr?«

»Ja, Kario.«

»Ihr seid groß und Eure Truppen marschieren durch die Stadt. Jetzt weiß ich, daß Admis siegen wird.«

»Du wirst also alles ausführen, was ich dir rate.«

»Ich weiß nicht, Herr. Ich habe Angst.«

»Um dein armseliges Leben.«

»Ich bange nicht um mich, ich bange um ihn.«

»Was kann ihm denn schon zustoßen. Alle Mächte werden ihn behüten. Möchtest du vielleicht einen Lohn dafür?«

»Nein, Herr. Ich will gar nichts. Wenn Ihr es wißt, werde ich tun, was Ihr verlangt, denn Ihr wißt es besser. Doch werde ich von dem Erpresser nicht einen Denar verlangen.«

»Nein, Kario. Du forderst deinen Lohn. Nur dann wird dir der Hohepriester Glauben schenken. Nur das Geld ist für den Menschen in dieser Welt ein selbstverständliches Ziel. Andere Ziele sind immer verdächtig. Du wirst dreimal soviel verlangen als er dir wird bieten wollen.«

»Ich werde nicht feilschen. Nicht um Admis.«

Er betrachtete den dunklen Kopf Karios, und es wurde ihm klar, daß er nichts mehr erreichen würde.

»Wie du willst, Kario«, sagte er.

»Ihr werdet ihn auf der Stelle befreien, und er wird hier König werden.«

»Er ist es schon, Kario.«

Kario hob den Kopf und blickte ihn direkt an. Und obwohl die Sonne hoch stand, blinzelte er nicht mit den Augen.

»Ich glaube Euch, Herr«, sagte er.

»Steh also auf, gehe hin und tue heute abend, wie ich dir befohlen habe.«

»Ja, Herr.« Kario verstummte für eine Weile und fügte dann leiser hinzu: »Aber warum habt Ihr denn mich erwählt, Herr?«

Der Proktor antwortete nichts, sondern ging bloß in Richtung Sänfte. Die Sklaven sprangen vom Boden auf. Bald sah er, von ihnen zum Palast hin getragen, wie Kario zum Tor ging. Irgendwie kam er ihm kleiner und gebeugter vor. Eine Weile schien es ihm sogar, als habe dieser Mensch keinen Schatten. Dann bemerkte er, daß die Sonne genau im Zenit stand.

Als er in seine Gemächer zurückgekehrt war, teilte man ihm mit, daß der Hohepriester um eine Audienz bitte. Er hatte es geahnt, doch gehofft, daß es erst am Nachmittag oder gar erst am Abend geschehen werde. Er überlegte eine Weile, ob er ihn in seinen Räumen empfangen sollte, entschied sich aber schließlich für ein Treffen auf der Terrasse, im grellen Sonnenschein des Mittags, um den Greis merken zu lassen, wie unpassend die Zeit seines Besuches sei.

Er ließ also eine Steinbank mit Brokat bedecken und auf dem Marmortisch daneben Früchte und mit Wasser vermischten Wein bereitstellen.

Dann setzte er sich auf die Bank, schickte die Wachen fort und ließ den Hohepriester kommen.

Während er auf ihn wartete, schweifte sein Blick über die Gärten, und es wurde ihm plötzlich bewußt, daß kein Gesang von Vögeln zu hören war, nicht einmal das Summen von Insekten ...

Der Greis näherte sich betulich, vor ihm ging ein Soldat, der ihn zur Bank geleitete und sich dann entfernte.

»Seid gegrüßt, Proktor«, sagte der Hohepriester zur Begrüßung.

»Seid gegrüßt«, antwortete dieser, ohne sich zu erheben, und wies ihm einen Platz daneben an.

Dann bot er ihm Früchte an und griff selbst nach einem Becher mit dem kühlenden Getränk.

»Eure Soldaten marschieren heute mitten durch die Stadt«, eröffnete der Hohepriester das Gespräch.

»Ich habe einen solchen Befehl erteilt. In diesem Frühling ist die Stadt nicht ruhig.«

»Ich dachte, daß Ihr hier die Ruhe und Ordnung wiederherstellen würdet.«

»Das ist nicht leicht in dieser Provinz, wie wir beide nur zu gut wissen.«

»Ich war der Meinung, daß Eure Reiterei den Aufwiegler festnehmen würde.«

»Hat sich denn überhaupt einer gezeigt?« fragte er und sah zu dem Alten hinüber. Ich werde ihm diese Unterredung nicht leicht machen, dachte er.

»Ja. Eure Reiterei ist doch gegen ihn vorgegangen.«

»Ach, das. Sie hat eine zusammengelaufene Menge zerstreut, denn die Bürger des Imperiums beklagen sich über den Mangel an Ruhe und Ordnung.«

»Solange sich dieser Mann noch in der Provinz aufhält, wird keine Ruhe einkehren.«

»Wenn Sie glauben, daß er ein Unruhestifter ist, beseitigen Sie ihn doch.«

Der Alte sah den Proktor direkt an.

»Da uns niemand zuhört, Proktor, werde ich offen reden. Das ist Eure Sache, nicht meine. Er ruft zur Auflehnung und zur Gründung eines Königreiches auf.«

»Ich antworte Ihnen, Priester, gleichermaßen offen. Ich wußte nicht, daß Ihre Sympathie für den Imperator und Ihre Loyalität ihm gegenüber so groß sind.«

»Es könnte ihm gelingen.«

»Ich habe meine Soldaten. Mag er es nur versuchen. Im Augenblick ist er für das Imperium keine Gefahr.«

»Immerhin muß man ihn unschädlich machen.«

»Tun Sie es nur. Mir ist zu Ohren gekommen, falls wir den gleichen Mann meinen, daß er jeden Tag beim Tempel zu finden ist. Befehlen Sie den Tempelwachen, sie mögen ihn festhalten.«

»Nein. So geht es nicht ...«

»Haben Sie nicht genügend Wachen?«

»Es wird womöglich Blut fließen und es ist das Blut dieses Volkes.«

»Sie wollen einfach sagen, daß es nicht leicht ist? Daß er allzu viele Anhänger habe? Geben Sie zu, es gibt mehr von ihnen als Tempelanbeter?«

»Nein.«

»Also haben Sie Angst. Sie haben Angst vor Ausschreitungen, bei denen Ihre Marktstände in Mitleidenschaft gezogen werden könnten. Meine Soldaten sind immer in Alarmbereitschaft.«

»Ich habe es heute gesehen. Ihr wartet nur darauf, Proktor, um die Truppen in Marsch zu setzen. Jeder Anlaß ist Euch recht. Ihr wollt gegen diese Stadt vorgehen. Ihr träumt davon, im Tempel die Statue des Imperators aufzustellen.«

»Sie übertreiben, der Imperator bedarf Ihres Tempels nicht. Aber falls Sie Angst haben, Priester, unternehmen Sie nichts und warten Sie, bis dieser Kerl alle Ihre Anhänger für sich gewinnt. Ich glaube schon, daß der Tempel auch für den neuen Kult genutzt werden könnte. Er ist ein wunderschönes Bauwerk, ehrlich gesagt, eines der schönsten, die ich je im Leben gesehen habe.«

»Wenn Ihr mir beistehen würdet, Proktor, vermöchte ich Euch die Dankbarkeit meines Volkes unter Beweis stellen. Der Tempel ist reich, und ein Wagen Gold würde ihn nicht arm machen. Wenn Ihr uns allen helfen würdet ...«

»Jederzeit, sofern es das Wohl des Imperiums erfordert.«

»Zwei Wagen ... Ein solcher Augenblick ist gekommen, Proktor.«

»Ich bin anderer Meinung, Hohepriester. Das Wohl des Imperiums ist nicht gefährdet.«

»Drei Wagenladungen werden den Tempel ruinieren. Darüber hinaus wird dieses Königreich, das er hier verkündigen will, dem Imperator nicht gerade genehm sein.«

»Königreiche ohne militärische Macht interessieren den Imperator nicht.«

Der Greis schwieg eine Weile.

»Ich habe hier also nichts mehr verloren, Proktor.«

»Essen Sie Weintrauben.«

»Ich gehe schon, laßt die Posten kommen!«

»Ich bin noch nicht fertig, Hohepriester. Glauben Sie ja nicht, daß das, was Sie gesagt haben, bei mir auf taube Ohren gestoßen ist. Ich weiß lediglich, daß Sie schon zurechtkommen werden, auch ohne die Schutzmacht des Imperators.«

»Mehr als drei Wagenladungen kann ich nicht aufbringen. Glaubt mir, Proktor.«

»Darum geht es nicht. Die Sache ist so ernst, daß ich die Soldaten des Imperiums dabei haben möchte, wenn Sie sich entschließen sollten, gegen diesen Mann einzuschreiten. Ihre Wachen sind hervorragend zum Schlachten der Opfertiere geeignet, doch fürchte ich, daß sich ihre Fähigkeiten darauf beschränken. Eine mißglückte Aktion könnte sehr leicht erst Ausschreitungen entfachen.«

»Einverstanden, schickt also Eure Soldaten los und laßt ihn festnehmen!«

»Nein, Hohepriester. Wir verstehen uns nicht. Ich weiß, daß Sie diese Sache auf Ihre Weise lösen möchten, nachts, wenn die anderen schlafen und Sie wach sind. Doch vergessen Sie nicht, daß meine Soldaten dabei sein müssen. Vor dem Imperator haften Sie dafür mit Ihrem Amt und vor mir, privat ...« – der Proktor neigte den Kopf zum Alten hinunter – »mit Ihrem Hals. Ihr Leben ist für mich nicht mehr wert als das Leben eines meiner Soldaten, und falls es zu Unruhen kommen sollte, werden viele Soldaten ums Leben kommen. Merken Sie sich also meine Worte, und Sie wissen, daß ich meine Versprechen immer halte. In dieser Stadt kommt es leicht zu Unfällen, sogar bei einem Hohepriester.«

Der Greis erblaßte noch mehr und saß regungslos da.

»Vielleicht möchten Sie doch die Weintrauben probieren?« fragte der Proktor.

»Ich werde über Euch beim Imperator Beschwerde führen«, stammelte der Greis schließlich.

»Weswegen? Weil mir das Wohlergehen des Imperiums am Herzen liegt?«

»Ihr beleidigt mich.«

»... Proktor, wollten Sie hinzufügen. Ja, ich beleidige Sie, weil ich Sie nicht achte. Sie können in den einfachsten Angelegenheiten nicht mit Ihrem eigenen Volk fertig werden. Ich achte keine Tölpel. Sie sollten Ihr Amt niederlegen und den ganzen Tag die alten Knochen in der Sonne wärmen, um mich nicht zur Mittagszeit mit Sachen, mit denen Sie nicht fertigwerden, zu belästigen.« Er klatschte in die Hände und rief nach den Wachen.

»Auf Wiedersehen, Hohepriester, und passen Sie auf Ihre Gesundheit auf!«

Dieser erhob sich und entfernte sich, ohne den Proktor eines Blickes zu würdigen, bevor noch der Soldat angelaufen kam. Ich habe soviel gesagt, als nötig war, um ihn zum Handeln zu zwingen, dachte der Proktor. Jetzt wird er handeln.

Und doch hatte er Mitleid mit dem Alten, der sein ganzes Leben in dieser Stadt verbracht hatte und in den letzten Jahren immer wieder Entschlüsse fassen mußte, von denen jeder für ihn schlecht war, weil er entweder seine gewohnte Rolle umkrempelte oder die Welt, in der er alt geworden war, vernichtete. Doch davon wußte der Hohepriester noch nichts, genauso wenig wie er von der Flotte Kenntnis hatte, die auf diesen Entschluß wartete, diesen Entschluß, den der Hohepriester nicht zeitlich verschleppen konnte, was er wie alle alten Leute nur allzu gerne tat.

Von der Sonne matt geworden, trank er seinen Wein, der schon warm war und die Kehle nicht mehr kühlte, und ging dann über die Terrasse in den Schatten und genoß die Kühle des Brunnens. Er bemerkte Visa, die in der Kammer an die Wand gelehnt dastand.

Als sie ihn bemerkte, schwankte sie etwas, kam dann aber näher und fiel auf die Knie.

Er blieb stehen.

»Was ist los, Visa?« fragte er.

»Herr, Ihr habt Kario hier nicht hereingelassen, was hat er bloß angestellt?«

»Kennst du ihn, Weib?«

»Ja, Herr. Seid Ihr ärgerlich auf ihn?«

»Nein, Visa.«

»Warum ist er dann entflohen und hat nicht auf mich gewartet wie immer, wenn er hierher kam.«

»Kommst du mit ihm zusammen?«

»Ja, Herr.«

»Das habe ich dir nicht erlaubt.«

»Verzeih, aber als er mich zum erstenmal anredete und sagte, daß meine Augen wie ...« – sie stotterte und errötete – »wie die Tiefen eines Sees seien, mußte ich ihn wiedersehen. Hier hat niemand so zu mir gesprochen.«

»Vergiß ihn!«

»Befehlt, was Ihr sonst wollt, Herr, und ich werde Euch gehorchen, doch werde ich ihn nicht vergessen.«

»Steh auf, Visa! Er ist nicht für dich. Du weißt doch, wer seine Eltern sind.«

»Ich weiß, Herr. Ich bin bloß eine Sklavin, doch wenn hier das Königreich kommen wird, das Admis verheißt, werde ich Kario gleichkommen. Ich liebe ihn.«

Er wollte ihr sagen, daß sie diesen Tag womöglich nicht mehr erleben werde, doch wenn er sie ansah, dachte er an die Hoffnung, die sie erfüllte, und sagte kein Wort mehr. Ihm ging der Zweck des Unternehmens durch den Kopf, woran früher, vor dem Auftreten Admis', kein Sklave zu denken gewagt hätte.

»Was weißt du von diesem Reich?« fragte er schließlich.

»Soviel als Admis darüber gesagt hat. Kario hat mir alles wiederholt.«

»Also auch das, daß du nicht mehr meine Sklavin sein würdest, wenn es käme.«

»Ich will bei Euch sein, Herr, weil ich eben bei Euch sein will.«

»Aber als eine mir Gleiche.«

»Wenn es angebrochen ist, werde ich Euch gleich sein.«

»Schweige, Weib. Bevor es kommt, wirst du bei seiner Verkündigung unter Qualen sterben.«

»Was hat der Tod schon zu bedeuten, Herr.«

Er betrachtete sie aufmerksam und dachte, daß dieses Mädchen, fast schon Frau, zu denjenigen gehören sollte, die Gab aus der Stadt hinausführen würde. Er dachte weiter daran, daß dieses Mädchen das hohe Alter nicht erleben würde und grausam ermordet aus dem Leben scheiden würde, wie die meisten derer, die in den Ländern an den Küsten des Binnenmeeres eine neue Ordnung aufbauen wollten. Doch nach ihnen würden andere kommen, die das Greisenalter schon unter der neuen Ordnung erreichen würden, Menschen, die die Welt in den an diesem Meer gelegenen Ländern verwandeln würden, in der Hoffnung auf Glück und Gleichheit, ungeachtet ihres wirklich armseligen Lebens; Menschen unter schlechteren Arbeitsbedingungen als die heutigen eines Sklaven, die nach dem Zerfall des Imperiums, in immer ferneren Provinzen und in Übersee eine neue Welt errichten würden. Mit ihrer Arbeit, die für sie ein Körnchen Hoffnung war, nach unweigerlich notwendigen Korrekturen, die die Arbeit noch mehr betonen würden, würden sie eine so komplexe und mannigfaltige Welt aufbauen, daß sie auf die Hoffnung vergessen könnten und die Arbeit selbst zu der Hoffnung würde, die die Welt in die Zukunft trieb. In vielen Hunderten von Jahren würden sie vielleicht den Zustand des Glücks und der Gleichheit erreichen, von dem Visa sprach.

Er schwieg, und Visa stand vor ihm und blickte ihn direkt an, anders als früher, so daß er ihre ungewöhnliche Augenfarbe sehen konnte, die sogar Kario nicht entgangen war. Er mußte daran denken, daß es im Kosmos viele Strukturen gab, viele davon vielleicht harmonischer und formschöner, daß jedoch diese Struktur eine einzigartige, unwiederholbare war, oder kam es ihm nur so vor, denn jene waren für ihn jetzt nur eine Abstraktion, während Visa doch wirklich existierte.

»Woran denkt Ihr, Herr?« fragte sie.

»An dich, Visa.«

»Und seid Ihr nicht zornig auf mich, weil ich es gesagt habe?«

»Nein, Visa. Du hast doch die Wahrheit gesprochen.«

»Also Ihr, Herr, glaubt auch an Admis.«

»Hat dir das Kario gesagt?«

»Nein, Herr. Er hat nicht von Euch gesprochen, selbst nicht, als ich ihn fragte. Aber ich weiß, daß er Euch dient, und er dient doch Admis.«

»Man kann zwei Herren gleichzeitig dienen.«

»Aber nicht dann, wenn einer Admis heißt, und der zweite Ihr seid, Herr. Dann dient man einem Herrn. Ärgert Ihr Euch nicht über Kario? Darf er hierher kommen?«

»Ja, Visa.«

»Er hat mich also vergessen«, sie senkte den Kopf.

»Denk das nicht. Vielleicht verlangt Admis von ihm, daß er nur an ihn denkt.«

»Er hat mich vergessen. Ich will ihn nicht mehr sehen.«

»Glaubst du, daß Admis kein Recht auf ihn hat?«

»Hat er, Herr, aber er hat mich vergessen! Darf ich gehen?«

»Ja, Visa, und denk nicht schlecht von Kario.«

Sie ging. Er stand noch eine Weile, blickte ihr nach und

ging dann in seine Kammer. Er schloß die Tür hinter sich, verriegelte sie mit dem Feld und deckte die Apparatur ab.

»Ich bin es, Admus«, dachte er, als er das Einströmen der Überzeitlichkeit verspürte.

»Ich bin bei dir, Adam«, lautete die Antwort.

Er dachte, daß alles vorbereitet war. Admis befand sich in der Stadt, ebenso jene, die an ihn glaubten. An diesem Abend würde Kario zum Hohepriester gehen. Dann würde Admis festgenommen und abgeurteilt werden. Wenn er die Priester nicht zu überzeugen vermochte und diese ihn zum Tode verurteilten, würde die Flotte die Stadt zerstören. Vorher allerdings würde Gab jene aus der Stadt führen, die Admis als dessen wert anerkennen würden. Mit der Zerstörung der Stadt würde die aktive Phase des Unternehmens abgeschlossen sein. Jahre würden vergehen und die dem Tode Entronnenen, gestärkt durch die Autorität des Todes der übrigen, würden sich bis in die Hauptstadt des Imperiums und in alle Länder des Binnenmeeres ausbreiten. Doch das war bereits Zukunftsmusik.

Er merkte das Absinken der Überzeitlichkeit.

»Ist das alles, Admus?« dachte er.

»Fast alles, Adam.«

»Was gibt es noch?«

»Vergiß Admis nicht.«

»Er ist aber doch du und ich zugleich.«

»Aber er ist auch Mensch. Stehe ihm bei!«

»Bis zum Kontakt, Admus!«

»Bis zum Kontakt!«

Eine Zeitlang kam es ihm vor, als ob er nach der Absonderung aus der Überzeitlichkeit in Form eines organisierten dünnen Plasmas in den Protuberanzen des Sterns in Fäulnis und Kälte schwebte. Die Zeit hatte für ihn eben erst angefangen, denn beim Absondern drang er in sie ein und wartete auf den Augenblick, bis sie in den Stern eindringen könne und seine Information die Reaktionen in seinem

Inneren so beeinflussen würde, daß der mit positiver Rückkopplung verbundene Prozeß ihn mit dem Strahlungsdruck lawinenartig überschwemmen und, von innen her den Stern sprengend, den Kosmos blenden würde. Er selbst würde, von der Strahlung zerrissen, aufhören, in der Zeit zu existieren, und dort, wo die Zeit ist auf den Klümpchen der Planeten ferner Galaxien, zittern in der Strahlung der Struktur, und beim Prozeß der Selektion würde es sodann zu einer geringfügigen dauerhaften Zunahme der Komplexität kommen. Und er, hineinprogrammiert in den pulsierenden Kosmos, ihn in der Überzeitlichkeit verkörpernd, würde viele lokale Zunahmen an Komplexität bewirken, die, wiewohl für den Kosmos bedeutungslos, gleichermaßen Ausgänge aus der Überzeitlichkeit sind, wie sein Aufenthalt auf diesem Planeten.

VI. Kapitel

Er wartete auf dem Paß, der noch im Sonnenschein lag. Tiefer im Tal drunten zog schon die Dämmerung herauf. Von hier aus sah er deutlich die Stadtmauern, weiß und mächtig sogar aus dieser Entfernung. Er war hier vor einer Weile erschienen und hielt sich einfach wartend hinter den Felsen auf, in die anonyme Gestalt des Transfers eingeschlossen. Reisende mit voll beladenen Lasttieren zogen an ihm vorbei. Er hörte die Rufe der Maultiertreiber, die drunten immer leiser wurden, bis sie den Paß passiert hatten, Gespräche, sogar das Weinen der von den Müttern getragenen Kinder.

Endlich bemerkte er Admis und erkannte ihn gleich. Er ging inmitten einer Gruppe von Männern, barfuß und wie sie im Gewand einfacher Leute gekleidet. Er erkannte Kario in seiner Lederschürze und die Männer, die er damals nachts auf der Bergspitze gesehen hatte, als er sich dort mit Admis und Elsz traf.

Er näherte sich ihnen und wollte auf Admis zugehen, doch verstellten sie ihm den Weg.

»Wer bist du?« fragte der an der Spitze gehende stämmige, breitschultrige Mann, das Kurzschwert unter dem Gewand versteckt.

»Admis«, rief er, »mich schickt derjenige, der ewig währt.«

»Laß ihn durch, Kefa!« sagte Admis.

Kario betrachtete ihn eine Weile, wie er sich zu Admis durchdrängte, doch konnte er ihn, ähnlich wie Admis, nicht erkennen, denn er hatte ihn nie in dieser Gestalt gesehen, und auch wenn er mit ihm in einer solchen Gestalt gesprochen hätte, hätte er sich dennoch nicht an ihn erinnern können.

Als er Admis erreicht hatte, gab ihm dieser ein Zeichen mit der Hand, damit sich die Männer von ihnen zurückzögen, und nun gingen einige von ihnen mit Kefa ein paar Schritte weiter, die übrigen blieben zurück.

»Bist du es, Adam?« fragte Admis leise.

»Ja, ich bin es.«

»Ich kann dich nicht einmal dann erkennen, wenn ich dich wiedersehe, so unscheinbar bist du.«

»Ich weiß, Admis. Du bist derjenige, den sie kennen werden.«

Sie gingen talabwärts und traten aus der Sonne in den Schatten des Berges, hinter dem sich die Sonne versteckte.

»Du bist leichtsinnig, Admis«, sagte Adam. »Hier können sie dich töten, bevor du noch die Stadt betreten hast.«

»Du wachst über mich, Adam, und ich vertraue dir.«

»Ich kann dich nicht ständig mit dem Feld abschirmen, damit keiner an dich heran kann.«

»Ich weiß es. Hier bin ich Mensch, und sie müssen mich kennenlernen und berühren, damit sie an mich glauben können.«

»Du willst auch nicht Transferform annehmen?«

»In der Transferinkarnation hat man keine Ahnung, was ein Mensch fühlt, wonach er sich sehnt und wie er leidet. Um sie zu verstehen, muß man einer von ihnen sein.«

»Und damals ist Admis zu einem von uns geworden . . .«

»Wovon sprichst du?«

»Von Worten, die sie möglicherweise in ihren Chroniken eintragen werden. In Ergänzung dessen, was über Adam schon vermerkt worden ist.«

»Ich weiß nicht, ob sie es vermerken werden. Einer dieser Männer zeichnet meine Worte auf, doch tut er es nach besten Kräften. Andere lauschen mir bloß, aber sie werden es in Erinnerung behalten.«

»Wozu nimmst du sie in die Stadt mit, Admis?«

»Ich habe ihnen noch nicht alles mitgeteilt.«

»Du hast nicht mehr viel Zeit. Heute abend wird Kario den Hohepriester aufsuchen und dich verkaufen.«

»Ich dachte, daß er mich verehrt.«

»Er liebt dich. Ich habe ihn überzeugt, und er tut es für dich.«

»Wie konnte er sich damit einverstanden erklären?«

»Er glaubt, daß du siegen wirst, und will dir zu diesem Sieg verhelfen.«

Admis schwieg eine Weile und sagte dann: »Er hat nicht recht getan. Du hast auch falsch gehandelt.«

»Warum, Admis?«

»Weil ich in dieser Stadt sterben werde, und in den Augen der Welt wird er, einer meiner Schüler, daran schuld sein.«

»Alle werden umkommen. Es werden nur diejenigen gerettet werden, die Gab aus der Stadt hinausführen wird.«

»Nein, Adam. Einzig und allein ich werde sterben.«

»Ich verstehe dich nicht, Admis.«

»Siehst du, Adam. Zum erstenmal bin ich so lange unter ihnen, unter Menschen. Ich existiere, indem ich ein Mensch bin. Dort, in der Überzeitlichkeit, wissen wir alles, aber begreifen kann man alles erst hier, wo die Zeit ist. Ich will nicht, Adam, daß sie bloß deswegen sterben, weil sie meine Worte nicht gehört haben, in ihren Alltag verstrickt, der ihnen nicht einmal erlaubt zuzuhören, geschweige denn zu verstehen. Wodurch sind sie schuldig geworden, daß sie sterben müssen?«

»Auf diesem Planeten war es schon immer so, Admis. Wir haben die Gerechten gerettet und die übrigen gingen zugrunde.«

»Und was haben wir erreicht? Nur das, daß du noch einmal vernichten und töten mußt. Und in drei, vier Generationen haben sie wieder alles vergessen, sie werden so leben, wie sie eben leben, und lediglich der Schrecken unserer Namen wird bestehen bleiben. Das hat es alles schon gegeben, Adam.«

»Was willst du denn tun?«

»Ich allein werde sterben, gerichtet von ihnen, einen solchen Tod, wie ihn die Elendigsten unter ihnen erleiden, auf daß jeder Leidende und jeder Sterbende wisse, daß er nicht der erste sei, einsam in seinem Leiden, von den anderen verlassen am Abgrund des Lebens; daß ich vor ihm war und nicht weniger gelitten habe. Und damit jeder von ihnen dieses Bewußtsein hat.« Admis verstummte. Sie gingen zum Fluß hinunter und in der hereinbrechenden Finsternis sah Adam die Helligkeit der Steine der Brücken, die den Wasserlauf überspannte.

»Woher weißt du, daß sie es sich merken werden?« fragte Adam nach einer Weile.

»Du kennst sie nicht, Adam, genauso wenig, wie ich sie kenne. Sie sind imstande, das Böse zu vergessen und merken sich das, was nicht das Böse ist. Deswegen schwärmen ihre Greise immer von den guten alten Zeiten. Sie werden es sich merken, daß ich nicht umzukommen brauchte, daß ich aber für sie umkam.«

»Wer wird sich schon daran erinnern, wenn erst die Stadt zugrundegegangen ist?«

»Du wirst die Stadt nicht zerstören, Adam.«

»Sie wird dennoch fallen. Das ist dir ebenso wie mir aus der Überzeitlichkeit vertraut.«

»Aber hier sind wir in der Zeit, und die Stadt muß ja nicht jetzt zugrundegehen.«

»Was willst du also, daß ich tue?«

»Nichts, Adam. Es wird alles ohne dich seinen Lauf nehmen ...« Adam schwieg wieder.

»Nein, Admis«, erwiderte er schließlich. »Ich kenne diese Leute ebenfalls. Du weißt nichts davon, aber ich bin auch in der Zeit, ein Mensch auf diesem Planeten. Sie beten nur die Mächtigen an. Sieh dir nur die Imperatoren an, die sie verehren, die Befehlshaber, vor denen sie sich fürchten, und die Priester, auf die sie hören. Der besiegte Herrscher ist kein Herrscher mehr, und die Erinnerung an ihn geht verloren, während sie an die Sieger noch nach Jahrhunderten denken.«

»Aber sie lieben sie nicht, Adam. Nicht die Herrscher sind ihre Hoffnung.«

Sie passierten die Brücke, und es scharten sich jetzt mehr Menschen um sie. Die Hügel lagen im Dämmerschein, und Adam sah die Weingärten nicht mehr, nur die schmächtigen, in den Himmel wachsenden Umrisse der Zypressen auf den Bergspitzen.

»Du willst das Unternehmen abändern, Admis. Damit bin ich nicht einverstanden«, sagte er.

»Nicht das Unternehmen selbst, sondern die Art und Weise seiner Durchführung. Und ich werde es tun. Dazu bin ich entschlossen, Adam. Ich weiß, daß ich richtig handle.«

»Nein, Admis. Ich wiederhole es noch einmal für dich. Die von ihnen Geehrten sind immer mächtig. Zeige mir ein Beispiel, wo sie den Unterlegenen ehren.«

»Ich bin es. Sie werden mich noch nach Jahrhunderten im Gedächtnis bewahren.«

»Du willst dich gegen mich stellen, und ich bin doch du.«

»Ich bin du in der Überzeitlichkeit, Adam. Doch du bist auch ich. Und ich bin derjenige, den sie im Gedächtnis behalten sollen. Und ich werde so handeln, wie ich gesagt habe, denn unser Ziel ist ihre Hoffnung und nicht ihr Tod.«

»Hoffnung, doch nur für die, die auf uns hören wollen.«

»Und Tod für die Zurückgebliebenen? Dort werden doch auch Unschuldige sein, nicht nur jene, die nicht auf uns hören wollten. Es werden die sein, denen es an Mut gebrach, zuzuhören, und die, die nur deswegen umkommen werden, weil sie dort waren, doch nie Gelegenheit hatten, uns zu hören.«

»So verhält es sich immer mit den Einwohnern jener ihrer Städte, die untergehen. Es ist eine von ihnen und für sie erfundene Regel. Ihre Geschichte, ihre Vergangenheit und ihre Zukunft sind voll von Städten, die ausgelöscht worden sind. Es wundert sie nicht einmal, daß in den zerstörten Städten Unschuldige ums Leben kommen. Sie verstehen es und akzeptieren es. Jetzt und immer. Wozu willst du ihre Ablaufmuster korrigieren, Verwirrung in die Gesetzmäßigkeiten ihrer Geschichte tragen. Sie werden nicht imstande sein, es zu verstehen. Sie werden dein Opfer nicht einmal ahnen. Handle wie geplant und überlaß alles übrige mir.«

»Nein, Adam. Ich werde so handeln, wie ich es dargelegt habe. Ich werde für sie sterben. Mögen sie wenigstens einmal keinen Brand und keine Verwüstung durch uns erfahren. Sie werden es nicht vergessen, glaube mir. Gerade das werden sie sich merken.«

Sie näherten sich der breiten Steintreppe, die zur Stadt hinaufführte, und vernahmen dann den fernen Klang der Trompeten aus dem Tempel. Die Nacht brach herein und ein neuer Tag, der hier mit der Nacht begann.

»Ich entferne mich, Admis«, sagte Adam. »Es wird Nacht, und binnen kurzem werden die Entladungen eines starken Transfers sichtbar werden. Doch vergiß nicht, daß ich dein Vorhaben nicht billige.«

»Ich weiß, Adam, doch es wird geschehen, wie ich es sagte.«

»Ich begleite dich, Admis, und werde dich überzeugen.«

»Sei mit mir, Adam, doch werde ich handeln wie gesagt.«

Adam antwortete nicht. Er entfernte sich seitlich in den engen Gassen und Winkeln und verflüchtigte sich. In seiner Kammer zurück, ging er sofort, ohne sich aus dem Sessel zu erheben, in den Transfer.

»Hörst du mich, Admus?« dachte er.

»Ich bin bei dir, Adam«, kam die Antwort sofort. Er spürte das Einströmen der Überzeitlichkeit und alles, was er wahrgenommen hatte, war bereits auch ein Teil von Admus.

»Gib mir einen Rat«, dachte er. Er wußte, daß Admus, wiewohl auch in die Zeit eingetaucht, in seiner kristallinen Feldstruktur Informationen so schnell verarbeitete, daß er in Sekundenschnelle mehr durchdenken konnte, als ein Menschengehirn in seinem ganzen Leben.

»Du kannst nur versuchen, Admis umzustimmen. Eine andere Möglichkeit gibt es nicht.«

»Ich kann dennoch so handeln, wie ich es geplant habe.«

»Dann wirst du das Unternehmen zum Scheitern bringen.«

»Warum?«

»Nur Admis weiß, wer aus der Stadt hinausgeführt werden soll. Jene Hunderte, die gerettet werden müssen. Gab hat diese Information nicht.«

»Dann werde ich Admis befreien ... Er wird als freier Mann entkommen.«

»Allein?«

»Ja.«

»Und die Stadt?«

»Die werde ich vernichten.«

»Dort werden jene sein, die auf ihn gehört haben; die Vernichtung der Stadt wird bloß deiner Laune entspringen, aber keine Strafe sein.«

»Und wenn er freikäme und die Stadt nicht zerstört würde?«

»Die Erinnerung an Admis wird ausgelöscht werden, alles wird so bleiben, als ob er niemals auf diesem Planeten gewesen wäre.«

»Dann soll ich ihn also töten. Seinem Tod zustimmen.«

»Du denkst jetzt wie ein Mensch. Wir währen in der Überzeitlichkeit, daher ist sein Ende in der Zeit ohne jede

Bedeutung. Seinen Tod hat er doch selbst beschlossen. Ihn werden sie im Gedächtnis behalten, die Wahl liegt bei ihm.«

Adam zögerte und überlegte sich die nächste Frage nicht mehr.

»Bis zum Kontakt, Admus!« dachte er.

Er kehrte nicht mehr in seine Kammer zurück, sondern raste im Ferntransfer der untergehenden Sonne nach. Er überflog die ungeheure Wüste, die Berge ohne Pflanzenwuchs und schließlich den Ozean. Er ließ sich auf dem Sandstrand einer Insel nieder, die nebst einigen anderen Inseln alles war, was von dem Land Atlantis übriggeblieben war. Hinter ihm, von den Strahlen der untergehenden Sonne beleuchtet, befanden sich die rot, schwarz und weiß gefärbten Berge dieser Magmainsel.

Er dachte an jene Menschen, die vor achttausend Planetenumläufen aus ebensolchen Steinen ihre bunten Häuser errichtet hatten, und daß er, als er, in die Zeit eindringend, unter ihnen weilte, ab und zu glücklich gewesen war. Es fielen ihm die Abende ein, da die Fischer vom Fischfang zurückkamen und ihre Boote sich zunächst dort als schwarze Punkte abzeichneten, wo das Wasser den Himmel berührte, und dann größer wurden, bis ihre Ruder im monotonen Wasserschlag sichtbar wurden. Die Frauen gingen zum Ufer hinab und spähten, die Augen mit den Händen vor der Sonne beschirmend, nach den Booten ihrer Männer aus. Beim Anblick der lachenden Gesichter der Ihren wußten sie, daß es reiche Beute gegeben hatte, und waren froh darüber; anschließend spannten sie auf dem Strand die Netze zum Trocknen auf und flickten mit dünnem Garn die gerissenen Schnüre. Er hörte das Geschrei der Kinder, die im Sand nach Muscheln suchten, und das Donnern der Flutwellen. Jetzt war der Strand leergefegt, und er hörte über seinem Kopf lediglich das Geschrei der Möwen, genauso wie vor Tausenden von Jahren.

Er dachte daran, daß er einmal aus der Überzeitlichkeit zu

diesen Stellen und Jahren zurückkehren würde, und alles würde so sein, wie es gewesen war, bevor die Flutwelle kam, so hoch wie die Berge, und diese Welt zerstörte.

Er dachte daran, daß er in Zukunft einmal auch zu dem Hügel zurückkehren würde, wo sich jetzt die Stadt befand, und in den erlöschenden Sonnenstrahlen auf die Felsen blicken würde, denn von den Häusern würde nicht einmal eine Spur übrigbleiben, und auf die mutierten Zypressen, deren Ableger seitwärts hervorsprießen und sich in Blätterschirme verwandeln würden, die nach dem abgeschnittenen Sonnenspektrum tasteten. In der Dämmerung würde er nicht mehr den fernen Klang der Tempeltrompeten und auch nicht das ferne Sausen darüberfliegender Flugzeuge hören.

Dann wurde ihm bewußt, daß die Flugzeuge einer anderen Zeit entstammten und das andere Bilder waren, schicksalshaft dieser Wirklichkeit überlagert durch das unvollkommene Erinnerungsvermögen der Struktur, die er trug, überlastet durch die Informationsüberladung aus der Überzeitlichkeit.

Er stand am Strand und sah zum Meer hin, das mit hohen langen Wellen den Strand überschwemmte. Die Wellen bewegten sich vom Meer nicht direkt zum Strand hin, sondern bildeten mit der Begrenzungslinie des Sandes einen kleinen Winkel dergestalt, daß der Schnittpunkt von Sand und Welle sich entlang des Ufers mit im Vergleich zur Bewegung dieser Wellen ungleich höherer Geschwindigkeit verschob. Er mußte daran denken, daß dieser Punkt ein Modell der Zeitwellen sein könnte, denn obwohl jede Welle den Sand an dieser Schnittlinie entlang des ganzen Strandes berührte, stieß die nächste auf den gleichen Sand, weil die Welle lediglich die Anordnung seiner Körner veränderte, sie aber nicht mitschwemmte.

Die Möwen krächzten lauter, und die Sonne stand knapp über dem Horizont.

Dann bemerkte er zwei Menschen. Sie schlichen sich über den Strand an ihn an, fast völlig nackt und verkrüppelt, Steinbeile in der Hand. Als er sich zu ihnen umdrehte, fielen sie über ihn her und einer von ihnen schlug ihm mit aller Kraft ein Beil auf den Kopf. Die Steinaxt, vom elastischen Feld des Phantoms zurückgeschleudert, prallte ab und entfiel der Hand. Der zweite richtete sich auf, und sein verwachsenes schmutziges Gesicht war völlig stumpf. Adam lächelte ihnen zu, erhob sich in die Luft und gewann schnell an Höhe, so daß er binnen kürzester Zeit nur noch zwei schwarze Punkte am Strand sah. Er dachte, daß er zwei Nachkommen der Einwohner von Atlantis, mit denen er Umgang gepflogen hatte, denen er die Hände geschüttelt und deren Gesang er gelauscht hatte, wenn sie von einem gelungenen Fischfang zurückkehrten, begegnet war.

Ohne zu warten, bis er über Land war, löste er sich auf. Drunten herrschte bereits nächtliche Ruhe.

VII. Kapitel

Er trank Bier an einem Tisch der hölzernen Veranda der Kantine. Die Kantine befand sich am Rande der Kaserne, abseits der Zentralbauten, nahe den Startbahnen des Flughafens. Zwischen den Flügen kamen die Piloten mit ihren Mannschaften oft auf einen kurzen Schluck Coca Cola in die Kantine, und wenn das Wetter keine Flüge erlaubte, brachte man Whisky in die Kantine, und es wurde dann immer recht gesellig dort. Selbst Ströme von Regen und tiefhängende, beinahe die Startbahnen berührende Wolken sahen dann nicht so grau aus.

Jetzt schien die Sonne, und von seinem Platz aus konnte er die ebene Fläche des Flughafens beobachten, die makellose Wiese, die bis zu den Bäumen am Horizont reichte, die weißen Betonbahnen der Startpisten und, weiter in der Nähe, den Kontrollturm und die die Windstärke anzeigenden Flügel des Windmessers. Sie waren an diesem sonnigen Augustnachmittag völlig unbeweglich. Lediglich der Konus einer Radarantenne vibrierte, und ein unsichtbares Wellenbündel tastete unaufhörlich den heiteren wolkenlosen Himmel ab, dessen blaue Farbe am Horizont ins Weiße überging.

Das Bier war eiskalt, und er genoß es um so mehr, als er es nur dann trank, wenn er keinen Flug vor sich hatte.

Die Startpisten waren leer, denn die erste Schicht war unterwegs, um dort ihre Bomben abzuwerfen, wo die Japsen noch ihren hoffnungslosen Krieg führten. Neben den Bombenflugzeugen der zweiten Einsatzgruppe, die neben den Startbahnen abgestellt waren, wimmelte es von Mechanikern, und er hörte die durch die Entfernung gedämpften Flüche des Sergeanten, der offenbar die Ungeschicklichkeit seiner Leute verwünschte. Dicht über ihm, auf einem Balken unter dem Holzdach der Veranda, zwitscherten die Schwalben, die dort im Frühling ihr Nest gebaut hatten.

Er dachte daran, daß ihm diese Woche noch ein Flugeinsatz bevorstand. Nachher würde er sich für einen halben Tag und die ganze Nacht in ein zwei Meilen weiter liegendes Städtchen wagen, wo man sich gehörig amüsieren konnte. Zugleich fiel ihm ein, daß er noch nicht den allwöchentlichen Brief an seine Frau abgeschickt hatte. Er mußte sich darin unbedingt nach dem Gesundheitszustand seines Töchterchens erkundigen, über deren Erkrankung ihm seine Frau berichtet hatte.

Er trank sein Bier aus und trat in die Kantine, wo unter dem Ventilator hinter der Theke die dicke Chris saß.

»Gib mir bitte noch ein Bier«, sagte er.

»Es ist heiß heute.« Sie holte eine Dose aus dem Kühlschrank und stellte sie auf die Theke. »Und auch langweilig.«

»Sicher«, stimmte er ihr zu.

»Zerbrich dir nicht den Kopf. Ich habe gehört, wie der Kommandant sagte, noch ein, zwei Monate, und wir werden nach Hause zurückkehren. Die Japsen pfeifen aus dem letzten Loch ...«

»Das tun sie schon lange ... Du hast immer die letzten Nachrichten, bloß stimmen sie nicht.«

»Du bist langweilig. Nicht mit deinem Kumpel Masmo zu vergleichen.«

»Erstens ist er nicht mein Kumpel. Wir fliegen in einer Mannschaft und damit basta, man kann doch mit jedem fliegen. Zweitens mag er fette Weiber und ich nicht.«

»Schwein.«

»Möglich. Solche müssen auch fliegen.«

»Zahl und schleich dich auf die Veranda, wenn du

kannst, oder halt's Maul, denn ich werde dafür bezahlt, mir deine Visage anzusehen, aber nicht dafür, mich von dir blöd anquatschen zu lassen.« Er holte eine Münze aus der Tasche, legte sie auf die Theke, ergriff die Dose und ging wieder auf die Veranda hinaus. Sein Platz war besetzt. Ein fremder, ihm unbekannter Mann im Rang eines Sergeanten saß dort und rauchte eine Zigarette.

»Hallo«, sagte er zu ihm, »bist du ein Reservist?«

»Nein, ich bin nur für ein paar Stunden hergeflogen.«

»Ein Ausflug?«

»Etwas in der Art.«

»Wenn du nicht reden willst, dann eben nicht. Magst du ein Bier?«

»Nein, wir fliegen am Abend zurück.«

»Du bist wohl von der Maschine, die vor zwei Stunden gelandet ist.«

»Ja.«

»Du bist nicht eben gesprächig.«

»Nein, wenn es nichts zu reden gibt.«

Er fühlte sich gekränkt, setzte sich an einen anderen Tisch und tat, als sähe er den anderen nicht, obwohl er ihn genau beobachtete. Seine Uniform war fast neu, als ob er sie erst gestern gefaßt hätte. Die Hose hatte eine scharfe Bügelfalte und irgendwie paßte der Typ überhaupt nicht hierher.

»He, Parakletos«, hörte er einen Zuruf von außerhalb der Veranda.

»Na, was ist?«

Der Korporal Masmo, mit dem er seit zwei Monaten in einer Besatzung flog, kam auf die Veranda gelaufen.

»So eine Bescherung.« Masmo setzte sich zu ihm. »Gib ein Bier aus, dann sage ich es dir.«

»Hinausgeworfenes Geld. Du plauderst es sowieso aus, du hältst es nicht aus, und außerdem würde die dicke Chris dich gerne sehen.«

»Scher dich zum Teufel mit deiner Chris! Wenn du Lust auf sie hast, dann ...« Er machte eine Handbewegung.

»Ich habe keine. Ich habe Geschmack, Korporal.«

»In Ordnung. Ich gehe also und hole mir ein Bier. Und der da ... was ist das für einer?«

»Er wurde eben eingeflogen.«

»Er gehört wohl zu ihnen.« Der Mann tat so, als höre er nicht zu. »Ein Wichtigtuer aus der Heimat.«

»Sind mehrere von der Sorte da?«

»Ja eben.« Masmo ging in die Kantine und Parakletos trank weiter sein Bier und nahm von dem anderen keine Notiz.

Nach einiger Zeit kam Masmo mit seinem Bier zurück, Chris im Gefolge. Masmo ließ sich nieder, und Chris wischte dann mit einem weißen Tuch den Tisch vor ihm ab.

»Ich sage dir also ...« – Masmo dämpfte die Stimme, aber nicht zu sehr, damit es auch Chris hören könnte –, »es ist eine Bombe, sie haben eine Bombe gebracht.«

»Na und?«

»Diese Bombe ist etwas ganz Spezielles. Sie ist stärker als Tausende von den anderen Knallern. Unsere Eierköpfe haben sie eigens für die Japse erfunden.«

»Sergeant«, sagte der Mann, »ihr redet über ein militärisches Geheimnis.«

»Was mischst du dich da ein?« Masmo sagte es ziemlich laut.

»Haltet den Mund! Sonderdienst.« Er stand auf und griff nach seiner Legitimation.

»Schon gut. Ich glaube es dir. Es stinkt ja schon von weitem.«

»Du kommst mit!« sagte der Mann. »Ihr auch!« Er blickte Parakletos und Chris an.

»Ich rühre mich nicht vom Fleck«, sagte Chris.

»Wir kommen mit, aber nicht mit dir. Wir gehen zur

Einsatzbesprechung. Und überhaupt, scher dich zum Teufel, denn von der Bombe hat der Kommandant gesprochen. Er befahl mir, Parakletos zu holen und zur Einsatzbesprechung mitzunehmen. Diese Bombe fliegt mit uns.«

»Die da fliegt aber nicht und weiß doch Bescheid.«

»Hör auf damit, Sergeant!« Parakletos blickte ihn an. »Von Chris kann man so mancherlei sagen, aber nicht, daß sie die Geheimnisse unserer Streitkräfte verrät.«

»Das ist aber ein Einfall«, entrüstete sich Chris.

»Gut«, Masmo korrigierte seine Meinung. »Wenn du uns mitnimmst, kommen wir nicht rechtzeitig zu dieser verdammten Einsatzbesprechung. Sollen andere Scheißkerle mit so etwas an Bord fliegen. Ich reiße mich nicht darum, meinen Arsch über den Japsen aufs Spiel zu setzen. Gehen wir also?«

»Hat das zu bedeuten, daß ihr eine Sonderbesatzung seid?« fragte der Mann.

»Eine Extra-Sonderbesatzung. Man sieht es uns bloß nicht an.«

»Dann bringen Sie mir also ein Coca Cola.«

»Bitte sehr«, Chris lächelte und ging langsam zur Theke hinüber.

»Darf ich also reden oder werden Sie mich unterbrechen, Sergeant?«

»Sie können reden.«

»Ich habe also alles gesagt, und wir gehen zur Besprechung. Schönes Wetter heute, Sergeant.«

Dieser erwiderte kein Wort.

»Los, trink dein Bier aus und wir sind auf und davon! Die Gesellschaft hier sagt mir nicht sonderlich zu.« Parakletos leerte sein Bier und erhob sich.

»Gehen wir«, sagte er.

Sie gingen auf einem Pfad, zunächst quer über die Wiese, dann zwischen den Hangars hindurch bis zu den Bunkern in der Nähe der Pisten. Diese Bunker hatten noch die Japaner errichtet, als der Flughafen in ihrer Hand war. Jetzt stand dort an jeder Ecke ein Militärpolizist mit der weißen Aufschrift MP auf dem Helm und Maschinenpistole. Ein paar andere patrouillierten in der Nähe.

»Nicht schlecht, diese Gorillas«, sagte Parakletos.

»Was sollte denn sonst bei einer solchen Bombe sein?«

Sie wurden mindestens fünfzig Meter vor den Bunkern angehalten, doch ließ man sie weiter, als sie die Passierscheine vorwiesen, die Masmo mithatte. Als sie den Zugang zum Bunker erreichten, einer mit einer Stahltür versperrten Betonrampe, wurden sie neuerlich kontrolliert. Schließlich passierten sie die Türen. Die Wände im Inneren des Bunkers bestanden ebenfalls aus Beton, und darauf hatte man elektrische Leitungen verlegt. In der Mitte stand unter einer hellen Glühbirne ein Tisch mit einer darauf ausgebreiteten Landkarte, daneben ihr Kommandant, ein ihnen unbekannter Oberst und die übrige Besatzung.

»Wo habt ihr euch herumgetrieben«, fragte der Kommandant.

»Ich habe ihn gesucht, Sir«, antwortete Masmo.

»Sind das schon alle?« fragte der Oberst.

»Alle.«

»Wir können anfangen«, stellte der Oberst fest und näherte sich dem Tisch. »Die Einsatzbesprechung findet hier und nicht wie gewohnt im Saal statt, und zwar wegen der Geheimhaltung eurer Aufgabe. Zunächst möchte ich euch mitteilen, daß ein ähnlicher Einsatz schon durchgeführt wurde und daß Hiroshima das Angriffsziel war. Der Einsatz war ein voller Erfolg. Eine Explosion mit einer Stärke von zwanzig Kilotonnen. Diese Bezeichnung sagt euch noch nichts, aber sie bedeutet soviel als ob zwanzigtausend Tonnen Trinitrotoluol explodiert wären.«

»Um Himmels willen!« sagte ein Besatzungsmitglied im Hintergrund.

»Ruhe!« befahl der Kommandant.

»Man hat also zwanzig Kilotonnen in geringer Höhe über der Stadt zur Explosion gebracht. Die Wirkung übertraf unsere Erwartungen. Ich habe Fotos gesehen« – fügte der Oberst erklärend hinzu –, »ihr könnt mir glauben, man erzielt eine vollständige Zerstörung. Eure Aufgabe ist ähnlich, bloß ist diesmal eine andere Stadt das Ziel. Zeit des Einsatzes: morgen, es sei denn, die Wetterfrösche ändern ihre Meinung über das Wetter. Eure Bombenlast ist nicht weniger stark als die erwähnte, und euer Auftrag ist von entscheidender Bedeutung für den ganzen Krieg. Das Risiko des Einsatzes ist Null. Wir haben die totale Luftüberlegenheit.«

Parakletos hörte nicht mehr weiter zu. Er dachte an die Stadt, die schon vernichtet worden war, eine Stadt wohl größer als Lexington, Ky, wo er aufgewachsen war und wo jetzt seine an Keuchhusten erkrankte kleine Tochter auf ihn wartete. Er konnte sich eine abstrakte Stadt voller abstrakter Japse, die man wirkungsvoll umbringen sollte, nicht vorstellen. Der Oberst sprach jetzt von der Richtung und der Höhe des Anflugs, und er sah immer wieder den neuen Turm der Universität vor sich, der als quaderförmiger Klotz über die alten Häuser der Broad Street emporragte, in der er als kleiner Junge immer gespielt hatte. Nach einer Weile wurde ihm bewußt, daß dieser Turm erst viele Jahre in der Zukunft erbaut werden würde.

»Im Vergleich zu den zukünftigen Möglichkeiten ist diese Bombe ein Kinderspielzeug. Ich habe ausgerechnet, daß eine Bombe von zehn Megatonnen Trichter mit einem Durchmesser von einem Kilometer und einer Tiefe von hundert Metern erzeugt, und es wird Bomben von hundert Megatonnen und darüber geben. Ja, noch größere ...«

Er mußte wieder an die einige Kilometer lange Welle denken, die von Westen her über Atlantis hereingebrochen war und die die Berggipfel erreicht und alles weggefegt hatte, die Stadt, die Menschen und den Boden, und was übrig blieb, mit Schlamm bedeckte. Und dann waren die Vulkane explodiert ...

»Sir«, Masmo wandte sich schüchtern an den Oberst, »dürfen wir uns diese Bombe jetzt wenigstens ansehen?«

»Na gut, Jungs. Jetzt übergeben wir sie sowieso in eure Hände.«

Er winkte den beiden Männern des Sonderdienstes zu und diese öffneten die eisernen Tore zum Sonderraum. In einem erleuchteten, nicht allzu großen Keller lag auf einem mit Extrastützen versehenen Wagen die Bombe. Sie war nicht sonderlich groß, war schwarz, gedrungen und sah gar nicht gefährlich aus, fast etwas lustig.

»Sie macht eine Stadt mit mehreren tausend Einwohnern wirkungsvoll dem Erdboden gleich«, sagte der Oberst mit Sachkenntnis.

»Großartig«, sagte Masmo leise und schrie dann laut: »Vivat unsere Eierköpfe!«

Parakletos trat an den Kapitän heran.

»Entschuldigen Sie, Sir. Ich leide an Durchfall, es geht mir nicht gut.«

»Sie sehen eher gelb als blaß aus, Parakletos.«

»Mir ist wirklich übel, Sir. Es geht mir gar nicht gut. Ich kann nicht fliegen.«

»Du wirst diesen historischen Augenblick verpassen! Du wirst nicht an einem Ereignis teilhaben, das Weltgeschichte macht.«

»Ich weiß, Sir, es tut mir leid, Sir. Es werden sich aber vielleicht einmal andere Anlässe ergeben.«

»In Ordnung, Parakletos. Ein Ersatzmann wird fliegen. Und Sie werden bis zum Abflug aus Sicherheitsgründen in Isolation bleiben. Danach drei Flüge außerhalb der Reihenfolge.«

»Jawohl, Sir.«

Als er die vorschriftsmäßige Kehrtwendung machte, sah er wieder das Gesicht Masmos.

»Du wirst wieder nicht dabei sein. Du willst das alles nicht mitmachen. Du wolltest niemals ...«

»Sir!«

»Jawohl. Sie wollten nicht, Sir!«

VIII. Kapitel

Das Haus des Hohenpriesters war eines der prächtigsten in der Stadt. Zur Stadt hin lag eine hohe weiße Mauer, in der sich außer dem festen, mit Nägeln beschlagenen, stets verschlossenen Bronzetor eine mit Doppelbalken verstärkte Tür mit einem eingelassenen vergitterten Fenster befand, von dem aus der Pförtner fast die ganze Straße, vor allem aber die Toreinfahrt überblicken konnte. Die im Hof wachsenden Akazien ragten mit ihren Ästen über die Mauer auf die Straße, und die Schatten ihrer Zweige warfen jetzt im Licht der starken Öllampe über dem Eingang ein bizarres Muster auf die weiße Mauer.

Kario ging die Mauer entlang auf der Straße, zögerte einen Augenblick lang vor dem Tor und ging dann in die Finsternis außerhalb des Lampenscheines weiter. Dort blieb er eine Weile regungslos stehen.

Plötzlich vernahm er deutlich eine Stimme. Auch Adam, der im schwachen Transfer im nächtlichen Dunkel in der Nähe des Haustores des Hohenpriesters die Ankunft Karios abwartete, hörte diese Stimme. Doch er wußte, wem diese Stimme gehörte.

»Was du vorhast, Kario«, sprach die leise Stimme aus dem Nirgendwo, »ist Verrat, schlicht und einfach Verrat, Verrat an Admis. Begreifst du das, Kario? Der Proktor ist nicht Admis, und wenn Admis gewollt hätte, daß du hierher zum Hohenpriester kommst, hätte er es dir selbst gesagt. In wessen Diensten stehst du, Kario?«

Kario verharrte noch eine Sekunde lang auf seinem Platz, kehrte dann um, marschierte noch einmal am Tor vorbei und ging dann in derselben Richtung, aus der er gekommen war, zurück. Als sich Kario entfernt hatte, sagte Adam leise und nachdrücklich:

»Verlasse den schwachen Transfer, Masmo! Ich befehle es dir.«

Eine Gestalt in schwarzem Umhang zeigte sich auf der Straße und verschwand sofort in der Dunkelheit.

»Ins Licht, Masmo!« befahl er.

Die Gestalt verließ den Schatten und trat in den Lichtkreis der Öllampe vor dem Tor.

»Du stellst dich mir schon wieder in den Weg«, sagte Adam.

»Du hast mir lediglich verboten, dich anzusprechen, Herr. Was tue ich jetzt übrigens anderes? Ich will lediglich Admis retten. Dieser Verräter, ich will ihn dem Hohenpriester ausliefern.«

»Masmo. Du behandelst mich wieder wie einen Menschen. Kannst du denn gar nicht anders?«

»Ich weiß nicht genau, Herr. Es ist wohl so, wie du sagst.«

»Glaubst du nicht, sie könnten daraufkommen, daß du dort auf dem Festungshof bei mir warst, als ich mich mit Kario unterhielt. Antworte!« fügte er barsch hinzu, als Masmo nichts sagte. »Du weißt alles, Herr.«

»Ich befehle es dir, sprich! Du redest nicht mit einem Menschen!«

»Ich war es, Herr.«

»Du willst also zerstören, was ich schaffe.«

»Das ist meine Rolle, Herr.«

»Masmo, willst du zu existieren aufhören?«

»Niemand will das, Herr. Was ich getan habe, habe ich jedoch für Admis getan. Er könnte hier länger unter den Menschen verweilen, Herr.«

»Ja. Unter ihnen bis zum natürlichen Tod des Körpers verweilen, den er trägt, dann sterben, in Vergessenheit geraten und alles bliebe beim alten. Du kümmerst dich um den Hohenpriester, Masmo, nicht um Admis!«

»Ich gebe zu, daß er ein seriöser Kunde von mir ist, Herr.«

»Ja, hierin teile ich deine Ansicht. Doch was hast du mit Kario angestellt. Wie leicht es doch fällt, einen guten Menschen vom Bösen abzuhalten.«

»Das ist dein Verdienst, Herr.«

»Doch werde ich meine von dir verzerrte Wirklichkeit noch nicht zurechtbiegen. Möge er zum Haus des Hohenpriesters zurückkehren und geschehen, was geschehen muß. Ich befehle es dir!«

»Schaffe ich das, Herr?«

»Das ist die auf dich zugeschnittene Rolle. Tu, was du nicht lassen kannst, denn Kario wird als dein Opfer in die Geschichte eingehen. Ich wiederhole, ich befehle es dir. Du tust es, oder du hörst auf zu sein.«

»Ja, Herr«, sagte Masmo und verschwand.

Adam gelang es jetzt, im schwachen Transfer Kario ausfindig zu machen. Er fand ihn einige Straßen weiter auf einem Platz, und Masmo war bereits bei ihm.

Kario stand im Schatten eines Maulbeerbaums, der Vollmond übergoß ihn mit grünem Licht und warf einen langen Schatten auf den Weg.

»Du bist es, Herr«, sagte Kario, als er die verschwommene Stimme Masmos vernahm.

»Du willst Admis verlassen, ihn alleinlassen, damit er morgen nacht, von den Schergen des Hohenpriesters meuchlings getötet, ums Leben kommt.«

»Heute abend sagte Admis zu mir, daß ich ihn verraten habe. Er sagte es mir in aller Öffentlichkeit, doch haben ihn nicht alle verstanden.«

»Doch war er über dich nicht verärgert?«

»Nein, Herr. Er ist nie ärgerlich, doch sagte er, daß ich ihn verraten hätte. Er weiß es.«

»Und du hast ihm nicht gesagt, daß du es für ihn tust.«

»Nein, der Proktor hat es mir verboten.«

»Doch Admis wußte es und will es. Sonst wärst du nicht bei ihm, denn er hätte dich von seinen Jüngern beseitigen lassen. Hat er etwas davon zu ihnen gesagt?«

»Nein, Herr. So wie ich bereits gesagt habe. Er sprach nur mit ihnen.«

»Jetzt darfst du ihn also nicht enttäuschen. Er weiß, was kommen soll, und findet sich damit ab. Und du willst dich davonmachen, ohne das zu erfüllen, was du ihm versprochen hast.«

»Ich habe es nur dem Proktor versprochen.«

»Doch Admis weiß es und hat sich damit abgefunden. Ich sagte es dir doch. Es ist nicht anders, als ob du es ihm selbst versprochen hättest. Wenn du es nicht tust, dann wird er enttäuscht. Er sagte doch schon zu dir, daß du ihn verraten hättest. Wenn du an ihn glaubst, darfst du ihn nicht enttäuschen.«

»Es ist wahr, Herr. Ich war dort vor dem Haus des Priesters und ging nicht hinein. Ich vermag es nicht zu tun. Ich bin nur ein schwacher Mensch.«

»Und das hältst du für eine ausreichende Rechtfertigung, um ihn im Stich zu lassen. Durch Schwäche willst du deinen Glauben an ihn ersetzen. Du willst die Ankunft seines Reiches verzögern.«

Kario schwieg und wandte dann das Gesicht dem Mond zu, als hätte er zu ihm gesprochen.

»Ich verstehe, Herr. Ich bin schwach, aber ich tue es ... ich tue, was ich zu tun habe. Wenn er es so will, wenn er erst vor Gericht siegen soll, tue ich es.« Kario wandte sich um, trat unter den Maulbeerzweigen hervor und ging wieder die Straße zurück, auf der er im grünen Mondlicht gekommen war, und Adam bemerkte seinen Schatten nicht. Er war der Meinung, daß der Mond genau hinter ihm stehe und der Umriß Karios den Schatten verdeckte.

»Dein gehorsamer Diener wartet auf deine Befehle, Herr«, vernahm er die Stimme Masmos.

»Verschwinde, Masmo!« sagte er. »Du widerst mich an.«

»Ich führe jenen Teil der Steuerung aus, den du selbst nicht übernehmen willst, Herr. Erst zwei voneinander unabhängige, entgegengesetzte Steuerungsprozesse ergeben eine zuverlässige Wirkung, Herr. Du weißt das sehr gut, denn alles in der Natur wird auf diese Weise gesteuert. Ein System regt das Herz zum Schlagen an, ein anderes hemmt es. Und allein in der Überzeitlichkeit ist eine Steuerung überflüssig.«

»Verschwinde, Masmo!« wiederholte er und wußte, daß er nicht mehr da war. Er versetzte sich in einem schwachen Transfer ins Haus des Hohenpriesters und wartete dort auf Kario.

Kario zeigte sich nach einer Weile mit dem raschen Schritt eines Mannes, der weiß, was er zu tun hat, trat in den Lichtkreis der Öllampe, kam zum Tor und pochte einige Male mit dem Klopfer an. Zuerst erhielt er keine Antwort, dann leuchtete im winzigen vergitterten Guckloch ein Licht auf. In den Angeln knirschend, öffnete sich die Tür. Durch den auf diese Weise entstandenen Spalt hörte er die Stimme des Pförtners.

»Was willst du, Ankömmling?« fragte der Pförtner.

»Ich will den Hohenpriester sprechen.«

»Scher dich fort!« erwiderte der Mann. »Der Hohepriester pflegt mit Kerlen wie dir nicht zu verkehren.«

»Ich will ihn sprechen«, wiederholte Kario.

»Ich könnte dich hinauswerfen, aber ich lasse den Wachhabenden holen. Warte nur.« Das Tor fiel zu, und der Pförtner rief etwas zum Haus hinüber. Dann ertönte das Klatschen von Sandalen, und das Tor öffnete sich eine Spur weiter. Kario ging hinein, und über ihm versetzte sich Adam im Transfer in den Hof.

Drei Männer in langen Gewändern und mit Schwertern

umringten Kario. Einer von ihnen trug eine Öllampe, mit der er Kario ins Gesicht leuchtete.

»Du willst den Hohenpriester sprechen?« fragte der Wachhabende.

»Ja.«

»Bist du von Sinnen, Mensch? Du weißt, mit wem du reden willst. Soll denn der Hohepriester zu dir herunterkommen?«

»Ich will ihn sprechen«, wiederholte Kario.

Die anderen beiden Wachen lachten.

»Setz ihn vor die Tür, Filo!« meinte einer.

»Möglicherweise möchtest du einen Empfang im Tempel«, fragte ihn der Anführer aufs neue. »Solche Narren wie du kommen jeden Tag zum Hohenpriester, und wir werfen sie die Treppe hinunter. Ich lasse Gnade walten. Du kannst mir ruhig sagen, was dich hierherführt.«

»Ich werde mit dem Hohenpriester selbst sprechen.«

»Mach endlich Schluß mit diesem Spiel, Filo!« erwiderte derselbe Soldat. »Das Federvieh wartet.«

»Entscheide dich also, Kerl. Du sagst, was dich hierher führt oder wir machen dir Beine!«

Der Pförtner öffnete das Tor weiter.

»Sagt dem Hohenpriester, daß ich mit ihm über Admis reden will!«

»Admis? Über diesen Aufwiegler vor dem Tempel?« fragte der Kommandant der Wache, aber irgendwie verändert.

»Ja, über ihn.«

»Was willst du über ihn sagen?«

»Das werde ich nur dem Hohenpriester sagen.«

Der Wachkommandant zögerte eine Zeitlang.

»Geh zum Schreiber des Hohenpriesters und frage ihn, was er davon hält!« befahl er schließlich einem der Soldaten, und als sich dieser entfernte, rief er dem Pförtner zu: »Schließ das Tor! Worauf wartest du noch?«

Das Tor schloß sich knarrend. Der Pförtner legte die Riegel vor.

»Wer bist du?« fragte der Wachkommandant.

»Einer von denen, die auf Admis hören«, antwortete Kario.

»Du gehörst gesteinigt«, sagte der zweite Soldat.

»Er ist wohl nicht deswegen zum Hohenpriester gekommen«, lachte der Kommandant.

Aus dem Gebäudeinneren kam der vorher entsandte Soldat mit einem älteren Mann in langem Gewand zurück, das aus dünnem, feinem Gewebe angefertigt war, was man sogar im trüben Lampenschein erkennen konnte.

»Ich bin der Schreiber des Hohenpriesters«, sagte der Ankömmling. »Was willst du mir über den Aufrührer mitteilen.«

»Er ist einer von ihnen«, sagte der Kommandant.

»Schweig, Filo!« sagte der Schreiber. »Du redest dann, wenn ich dich frage!« Sich an Kario wendend, fügte er hinzu: »Was willst du mir also mitteilen?«

»Was ich sagen will, sage ich nur dem Hohenpriester persönlich.«

»Der Hohepriester hat zu tun. Ich richte ihm alles aus«, sagte der Schreiber.

»Dir, Herr, habe ich nichts zu sagen.«

»Wir werfen ihn ins Verlies, und bis morgen wird er schon reden«, lachte Filo.

»Sei endlich ruhig!« sagte der Schreiber lauter, und der diesen Ton nicht gewohnte Filo entfernte sich ein paar Schritte, um zu zeigen, daß ihn die Sache nicht interessierte.

»Soll ich also dem Hohenpriester ausrichten, daß er geruhen möge, dich zu empfangen, Jüngling«, wandte er sich an Kario.

»Ich habe ihm eine Nachricht über Admis mitzuteilen.«

»Über ihn, nicht von ihm?«

»Was hätte denn Admis dem Priester zu sagen«, meinte Kario.

»Dem Hohenpriester, wolltest du sagen, Kerl. Warte hier! – Laßt ihn nicht fort!« sagte er zu Filo und ging.

Sie warteten auf dem Hof, und Adam sah den Dienern zu, die im Feuer Messing erhitzten, schwere Metallgitter, die man in die Räume trug und die an solch kühlen Frühlingsnächten wie der heutigen Wärme spendeten und die Räumlichkeiten beheizten. Nach einiger Zeit traten zwei Wachen in den Hof, einer von ihnen trug eine Laterne, die er auf Kario richtete, und der zweite durchsuchte ihn gründlich, fand aber bei ihm weder ein Messer noch andere Waffen.

»Komm mit!« sagte der mit der Laterne und ging voran. Der andere folgte hinter Kario. Adam wechselte den Transferbereich und erhob sich über sie.

Sie stiegen eine Außentreppe hinauf, dann gingen sie in einen Saal, in dem sich nur eine Bank befand, auf der der Hohepriester saß. Er sah noch älter aus als tagsüber, wie ihn Adam von der Unterredung in Erinnerung hatte, doch dachte er, daß ihn die trüben Öllampen an den Wänden des Saales älter machten. Der Greis hüllte sich in seinen Mantel und schien Kario, der von den Wachen hereingeführt wurde, nicht zu bemerken.

»Zieht euch zum Eingang zurück!« sagte er zu den Wachen. Seine Stimme klang schwach. Adam dachte, daß der Priester seit dem letzten Treffen sichtlich gealtert war.

»Du wolltest mit mir über Admis reden«, sagte der Hohepriester leise und blickte jetzt Kario an.

»Ja, Herr.«

»Was wolltest du mir sagen?«

Kario schwieg.

»Du wolltest mich doch sprechen. Du hast darauf bestanden.« Und als Kario weiter schwieg, fragte er ihn:

»Wie heißt du mit dem Vornamen.«

»Kario.«

»Hast du Admis zugehört?«

»Ja, Herr.«

»Und was hältst du von seinen Verkündigungen?«

Bevor Kario antworten konnte, stürzte Adam mit einem Schlag eine von den Lampen von der Wand. Beim Aufprall auf dem Steinboden flammte sie auf und die Wachen liefen von der Tür herbei, um sie zu löschen. Der Greis sah lediglich über den Arm zu ihnen hin und blickte dann wieder Kario an.

»Soll ich ihn Euch ausliefern?« fragte Kario kurz.

»Admis?«

»Ja.«

»Warum?«

»Ich will Geld dafür«, sagte Kario.

»Ja«, der Greis nickte. »Ich habe Geld, und was willst du mir dafür als Gegenleistung liefern?«

»Admis ausliefern.«

»Das hast du schon gesagt. Aber was bedeutet das?«

»Ich weiß, wo er sich aufhält.«

»Das klingt schon besser. Aber woher soll ich wissen, ob du die Wahrheit sprichst und er sich noch dort aufhält.«

»In der ganzen Stadt gibt es nur zwei Orte, wo er sein kann.«

»Woher weißt du das?«

»Ich bin bei ihm.«

»Wie lange?«

»Lange.«

»Oh, das ist eine erfreuliche Nachricht, daß mich ein ihm so nahestehender Mensch aufsucht. Ich sehe, daß du nicht an seine Lehren glaubst.«

»Ich brauche Geld«, sagte Kario.

»Wieviel?«

Kario schwieg.

»Du bist ein sonderbarer Mensch«, sagte der Priester.

»Du möchtest Geld und weißt nicht, wieviel. Vielleicht weißt du gar nicht, wo Admis ist. Ich frage dich noch einmal, wieviel möchtest du?« Kario schwieg.

»Gut, ich gebe dir soviel, wie man für einen Menschen zahlt, wenn man den Preis nicht kennt. Die Vorschriften besagen, daß man für einen von einem Zugtier getöteten Sklaven hundertzwanzig Denar bekommt. Das ist eine ganze Menge. Für diesen Betrag müßtest du ein Drittel des Jahres arbeiten. Bist du einverstanden?«

»Ja.«

»Holt den Schreiber!« wandte sich der Priester an die Wachen, und als dieser den Raum betrat, sagte er: »Zähle aus der Schatzkammer hundertzwanzig Denar ab und gib sie diesem Mann.«

Der Schreiber verbeugte sich und ging.

»Und jetzt sprich!« sagte der Priester.

»Er befindet sich in einem Haus in der Stadt oder in der Grotte neben der Ölpresserei«, sagte Kario.

»Du führst meine Leute dorthin«, sagte der Priester. Plötzlich fiel ihm etwas ein, und er fügte hinzu: »Es wird noch eine Weile dauern, bis wir dort hinkommen. Du wartest im Hof. Meine Männer werden bei dir sein. – Abführen!« sagte er zu den Wachen. Als sie gingen, Kario voran, klatschte der Greis in die Hände, und der Schreiber eilte herein.

»Du gehst gleich zum Proktor«, sagte der alte Mann. »Du richtest ihm meine Empfehlungen aus und sagst ihm, daß ich hier vor dem Haus seine Soldaten erwarte.«

»Was soll ich ihm sonst noch sagen?« fragte der Schreiber.

»Das genügt. Er weiß schon Bescheid.«

Der Schreiber verbeugte sich und ging. Der Greis saß unbeweglich da und sagte dann leise zu sich selbst: »Und wenn ich mich täusche ...« Er brach den Satz ab und hüllte sich nur noch fester in seinen Mantel.

Als Adam über dem Hof vorbeischwebte, erblickte er noch einmal Kario.

Er stand zwischen zwei Wachen, und sein Gesicht, das von unten her von der Lampe beleuchtet wurde, kam Adam plötzlich fremd vor. Der Kommandant der Wache sagte gerade etwas zu Kario, ging dann einen Schritt weg und spuckte aus.

Im Davonschweben sah Adam, wie der Kommandant noch einmal ausspuckte.

Der Proktor verließ seine Kammer und klatschte in die Hände. Ein Sklave, der irgendwo zwischen den Säulen verborgen gewartet hatte, eilte herbei und verbeugte sich.

»Sag Visa, daß sie mir das Essen bringen soll und lasse den Garnisonskommandanten kommen.«

Der Sklave lief zwischen den Säulen des Gangs auf die Gebäudemitte zu, und der Proktor folgte ihm langsam. Beim Brunnen war bereits ein Tisch aufgestellt, dessen mit Elfenbein verkleideten Füße in der Dämmerung bleich schimmerten. Neben dem Tisch waren Liegen aufgestellt. Für den Proktor stand in einem Krug Wein bereit und daneben auf einem Silberteller Mandeln.

Der Proktor ließ sich bequem auf der Liege nieder und erwartete auf den Kissen ruhend Ardo.

»Herr . . .«

Er wandte den Kopf. Visa stand neben der Liege.

»Soll ich schon das Essen auftragen?« fragte sie.

»Ich warte auf den Garnisonskommandanten. Ich werde gemeinsam mit ihm speisen.« Es kam ihm vor, als meide ihn Visa seit ihrem letzten Gespräch, sofern eine Sklavin imstande ist, den Herrn zu meiden, dem sie dient. Sie erkundigte sich nicht nach Kario, und er beschloß, darauf auch nicht zu sprechen zu kommen. Er wartet jetzt inmitten der Wachen im Hofe des Hauses des Priesters auf die Soldaten, dachte er, die ich noch nicht ausgesandt habe, und es tat ihm leid um Kario, wie es ihm auch um die Stadt leidtat, die er vernichten mußte.

Ardo kam in Helm und Schwert herbeigeeilt, und er vernahm seine Schritte schon, bevor er ihn noch sah.

»Salve dem Imperator!« Ardo blieb einige Schritte vor der Liege stehen.

»Salve«, antwortete der Proktor. »Bist du auf dem Weg in den Krieg, Ardo?«

»Ihr habt Alarmbereitschaft angeordnet, Proktor.«

»Aber für deine Soldaten. Du bist doch immer bereit. Nimm also den Helm ab, lege dein Schwert beiseite und setz dich auf die freie Liege! Iß etwas mit mir, und wir werden miteinander reden. Na, leg doch dieses Schwert zur Seite.«

Ardo legte den Helm ab, richtete sich die Haare und schnallte den Gürtel mitsamt dem Schwert ab. All das legte er auf die freie dritte Liege und nahm dann Platz.

»Hol noch ein paar Kissen, Visa!« rief der Proktor. »Und bald kannst du die Speisen auftragen! Trink einstweilen ein wenig Wein, Ardo.«

»Danke, Proktor. Solange Alarmbereitschaft besteht, erlaube ich es den Soldaten nicht. Ich trinke selbst auch keinen.«

»Probiere also die Mandeln, bis das Mahl aufgetragen wird. Und ich rate dir, tüchtig zu essen, denn ich weiß nicht, wann du imstande sein wirst, wieder zu essen.«

»Ist etwas im Gange, Proktor?«

»Gleich wird sich ein Gesandter des Hohenpriesters melden, der uns um militärische Unterstützung ersuchen wird.«

»Ihr habt aber einen wirkungsvollen Nachrichtendienst, Proktor.«

»Ausgerechnet darüber weiß ich Bescheid, daß der Bote unterwegs ist. Wie schmecken dir die Mandeln?« Der Proktor trank etwas Wein und griff selbst nach den Mandeln.

»Vorzüglich, Proktor.«

»Dann werden wir uns die Gänseleber schmecken lassen,

eine Spezialität unserer Hauptstadt, die in diesem wilden Land serviert wird.«

»Darf ich noch etwas fragen, Proktor?«

»Frag, Ardo!«

»Ihr, Herr, seid jetzt so ...« – Ardo suchte nach dem richtigen Wort – »... so anders. Habt Ihr gute Nachrichten erhalten?«

Der Proktor sah Ardo an.

»Du bist scharfsinnig, Jüngling«, sagte er. »Ein gewisses Unternehmen nähert sich seinem Ende, so viel kann ich dir verraten. Es gibt zwar noch gewisse Probleme, doch wird sich sicher alles klären und gut enden. Nun ja, die leibliche Hülle eines Reiters, ich spreche von mir, Ardo, liebt es manchmal, das zu probieren, womit dieser Planet die Menschen beschenkt. Der Wein beispielsweise ist hier hervorragend.«

»Ich freue mich, Herr. Eure Zufriedenheit ist mein Glück.«

»Du wirst es weit bringen, Ardo.«

»Ich höre, Herr.«

»Ich sage dir eine hervorragende Karriere voraus, falls du nicht allzu früh ums Leben kommst, was dir leicht zustoßen kann. Weißt du, Ardo, am meisten staune ich über den Mangel an Realitätssinn bei diesem Hohenpriester.« Der Proktor nahm einen Schluck Wein.

»Vergebt mir meinen Wagemut, aber ich kenne Euch ziemlich lange, und Ihr seid heute zum erstenmal etwas – menschlicher.«

»Was sagst du?« Der Proktor erhob sich von der Liege und blickte jetzt Ardo in die Augen.

»Menschlicher, Herr.«

»Du täuschst dich, Ardo. Ich bin immer der gleiche.«

»Ja, Proktor.«

»Das vorhin Gesagte sagte ich deswegen, weil ich dich mochte, das heißt mag.«

»Ich verstehe, Proktor.«

»Ich glaube nicht, Ardo. Aber das ist bedeutungslos.«

»Vergebt, Herr, wenn ich Euch mit irgend etwas gekränkt habe.«

»Nein, Ardo, du hast mich durch nichts gekränkt. Nun wollen wir aber essen.« Er klatschte in die Hände. »Visa, bring uns das Essen!« sagte er, als sie sich näherte. Sie hatte kaum die Speisen gebracht, als der Proktor schon die Schritte eines Soldaten hörte.

»Proktor, ein Bote des Hohenpriesters ist da«, meldete der Soldat.

»Sagte er, was er will?«

»Soldaten.«

»Sage ihm, daß er nicht hierher zu kommen braucht. Er möge dem Hohenpriester ausrichten, daß ich die Truppen zu seinem Haus schicken werde! Du kannst gehen!«

Der Soldat ging hinaus, und der Proktor wandte sich an Ardo.

»Du hast also gehört, weswegen ich dich gerufen habe.«

»Soll ich Soldaten senden?«

»Nein, Kommandant. Du nimmst eine halbe Hundertschaft und marschierst mit ihnen zum Haus des Hohenpriesters.«

Ardo wollte etwas fragen, doch gerade in dem Augenblick wurden eine dampfende Schüssel und ein silbernes Tablett mit Brot hereingetragen.

»Iß!« sagte der Proktor.

»Und Ihr, Herr?«

»Mir ist die Lust vergangen, Ardo. Ich werde reden, und du iß und höre zu! Vom Hohenpriester begibst du dich mit seiner Wache zu einer Stelle, die dir von einem seiner Leute gezeigt wird.«

Armer Kario, dachte der Proktor zur gleichen Zeit, sogar ich beginne ihn so zu nennen.

»Dort wird die priesterliche Wache den Mann festnehmen, von dem ich vorher gesprochen habe.«

»Ich werde es mir merken, Herr.«

»Die priesterliche Wache wird ihn aufhalten, und deine Soldaten werden einen jeden von dieser Wache, der den Festgenommenen umbringen oder ihm etwas zuleide tun möchte, töten. Verstanden, Kommandant?«

»Ja, Proktor.«

»Das ist ein Befehl.«

»Ich verstehe.«

»Du begleitest diesen Menschen bis zum Tempel oder ins Haus des Hohenpriesters. Darüber wird der Hohepriester entscheiden. Ihr könnt dabei viel Wirbel machen. Dann wird der Hohepriester der Versuchung widerstehen, den anderen meuchlings umzubringen. Einen Mord ohne Gerichtsurteil würden andere Klüngel des Tempels ausnützen, und darauf wird sich der alte Fuchs nicht einlassen. Dann kehrst du mit den Soldaten in die Kaserne zurück und wartest auf weitere Befehle. Die Alarmbereitschaft bleibt in Kraft, bis ich sie aufhebe.«

»Jawohl.«

»Das ist alles, Ardo.«

»Was wird dann weiter geschehen, Proktor?«

»Es wird zu einem Gerichtsverfahren kommen.«

»Gegen den Menschen, den wir zunächst auf Befehl des Imperators schützen und festnehmen werden?«

»Gegen ihn auch.«

»Ich kann es nicht glauben, daß sich der Imperator persönlich um uns in dieser entlegenen Provinz kümmert.«

»Diese Provinz, Ardo, ist derzeit der wichtigste Ort auf diesem Planeten«, sagte der Proktor leise.

»Seid Ihr dieser Ansicht, Herr?«

»Ich bin voller Zuversicht, Ardo. Und jetzt, nachdem du gespeist hast, gehe hin und führe die Befehle aus!«

Ardo erhob sich, schnallte sich den Gürtel samt dem Schwert um und setzte den Helm auf.

»Salve dem Imperator!« rief er, und als der Proktor nichts erwiderte und weiter die Steinplatten des Fußbodens anstarrte, machte er eine vorschriftsmäßige Kehrtwendung und ging.

Der Proktor rührte sich erst, als die Schritte Ardos verstummt waren, dann blickte er in die Dunkelheit des Gartens hinaus, wo sich der Mond dem Horizont zuneigend hinter den Wipfeln der Palmen versteckte, und klatschte in die Hände.

»Visa«, rief er.

»Da bin ich, Herr«, vernahm er ihre Stimme, und sie näherte sich ihm.

»Morgen früh brechen die Soldaten zur Festung am Meer auf. Du begleitest sie.«

»Herr, womit habe ich das verschuldet?«

»Nein, Visa, mit nichts. Ich will einfach, daß du mit ihnen gehst.«

»Herr, ich möchte hier in dieser Stadt bleiben.«

»Warum, Visa?«

»Das fragst du, Herr? Hier ist alles, was mir an dieser Stadt teuer ist. Ihr bleibt ebenfalls hier.«

»Und wenn dir Admis befähle, von hier wegzugehen?«

»Ich würde mit ihm ziehen, mit Kario und den anderen. Wenn Ihr es mir erlaubt, Herr.«

»Weib. Ich will nur dein Bestes. Diese Stadt geht vielleicht unter, wird zur Steinwüste. Eine Wüste, die sogar von Hunden und Geiern gemieden wird.«

»Ich bleibe. Ich stamme aus einem anderen Volk, aber es ist meine Stadt, Herr.«

»Wie du willst, Visa. Nach einer Generation wird niemand mehr die Namen derjenigen, die mit der Stadt zugrundegegangen sind, kennen. So ist es immer mit denen, die in Städten umkommen, weil sie an ihnen gehangen haben. Die Stadt weiß es, solange sie lebt ... Aber die Welt ist voll von Ruinen, die einst Städte waren, mit Erde bedeckten Ruinen, Ruinen, die keine Namen haben, weil es niemanden gibt, der sie nennen könnte.«

»Selbst wenn diese Stadt zugrundegeht, wird an ihrer Stelle eine neue entstehen, Herr, und es wird die gleiche Stadt sein.«

IX. Kapitel

Er huschte hinauf durch die Straßen der Stadt, die er nicht kannte, durch Palastgärten voller duftender Blüten, deren Duft er nicht roch, durch Ölhaine, wo eine nächtliche Stille herrschte, die er nicht hörte. Er sah bloß die Sterne über sich und den Mond knapp über dem Horizont, der immerhin noch so hell war, daß man das Sternengeflitter der Galaxis, in der er sich befand, nicht ausmachen konnte.

Der Berg wurde in der Finsternis noch schwärzer, und als Adam sich ihm im Tiefflug näherte, bedeckte er den halben Himmel. Die Wipfel der Ölbäume lagen knapp unter ihm, doch er befand sich in einem schwachen Transfer und konnte sie nicht knicken, sie aber zumindest wie ein Wind streifen und sie durchdringen, wenn er wollte.

Er wußte, daß es irgendwo unweit des Gipfels eine Grotte gab, neben der Treppe, die zur Spitze führte, und diese Grotte wollte er finden.

Als er schon auf dem Boden war, verspürte er den Geruch des alten Öls aus den unweit gelegenen Ölpressereien und etwas weiter unten bemerkte er die Umrisse von Ölpressen. Sie waren ihm wohlvertraut, weil er sie bei seinem früheren Aufenthalt auf diesem Planeten genau angesehen hatte, voll Bewunderung für die Handwerker dieses Landstrichs, die mit primitiven Werkzeugen Anlagen herstellten, die die Oliven so exakt auspreßten, daß die Kerne nicht beschädigt wurden.

Als er in die Grotte eindrang, bemerkte er einige schlafende Gestalten, doch fand er darunter nicht denjenigen, den er suchte. Er versetzte sich nach außen, über die

Treppe, die auf der anderen Seite zum Gipfel hinaufführte, und bemerkte vier Menschen. Einer von ihnen war Admis. Er näherte sich ihm und verstärkte das Transfersignal, bis Admis seine Anwesenheit wahrnahm. Die übrigen merkten nichts, denn sie waren es nicht einmal gewohnt, einen schwachen Transfer zu empfangen.

»Sie kommen schon näher, Admis«, sagte er, »die Priester, ihre Wachen und die Soldaten. Kario führt sie.«

»Ich weiß, Adam. Ich bin bereit.«

»Sie werden dir wohl nichts zuleide tun, doch wenn sie kommen, schirme ich dich eine Zeitlang, bis sie dich erreichen, mit dem Kraftfeld ab.«

»Du fürchtest, daß ich zu früh umkommen könnte.«

»Ich habe alles vorbereitet, doch wo es die Zeit gibt, gibt es auch den Zufall. Sie werden dich in den Tempel mitnehmen, wo sie dich richten, zum Tode verurteilen werden, da es unter ihnen nicht viele Gerechte gibt. Und dann wird die Flotte eingreifen, und in dieser Stadt wird kein Stein auf dem anderen bleiben.«

»Nein, Admis. Du wirst die Stadt nicht zerstören. Erinnerst du dich, was ich dir gesagt habe, als wir vom Paß herunterstiegen. Ich werde dieser Stadt nichts antun, und du wirst ihr auch nichts zufügen.«

»Admis. Sie warten auf deinen Sieg, warten seit langem. Sie haben uns so erschaffen, wie sie uns sehen wollen, mit Donner und Blitz, Licht und Feuer. Diese Wirkungen, so primitiv und uns so fremd, brauchen sie, und doch sind wir hier für sie da.«

»Das stimmt, Adam. Wir sind hier für sie da, und deswegen werde ich sterben, wie ich es gesagt habe, eines Todes, wie es ihn auf dieser Welt schlimmer nicht gibt. Ich werde sterben, und sie werden leben. Man kann nicht Hoffnung predigen und den Tod bringen, Adam.«

»Du sprichst, als ob du einer von ihnen wärest.«

»Ich bin ein Mensch.«

»Und deswegen kannst du nicht ihren grausamen Tod sterben. Du empfindest wie ein Mensch, ob Müdigkeit oder den Schmerz und die Todesangst des Sterbens. Der Tod ist schrecklich, und um so schrecklicher, als es ihn in der Überzeitlichkeit nicht gibt.«

»Ich habe es schon gesagt, Adam.«

»Du wirst auf einem Querbalken sterben. Hast du einen solchen Tod jemals gesehen?«

»Der Tod ist bloß ein Tod. Nichts weiter.«

»Du täuschst dich, Admis. Es gibt verschiedene Todesarten für sie, für die Menschen. Der Tod, der von selbst kommt, und der, den sie seit Jahrhunderten praktizieren. Dieser Tod ist eben so. Weißt du, wie sie es machen? Sie legen dich rücklings auf den Querbalken, strecken dir die Hände und schlagen Nägel in die Handgelenke. Dann heben sie den Querbalken mit deinem Leib in die Höhe und befestigen ihn auf einem Pfahl aus Zedernholz. Du blickst von oben auf sie herab, auf ihre Köpfe in der Höhe deiner Knie, wenn sie deine Füße abwinkeln. Nein, nicht strecken, sondern abwinkeln, und auch die Fersen am Pfahl festnageln. Weißt du, wie du dann stirbst? Du glaubst vielleicht, vor Erschöpfung oder an Blutverlust. Das stimmt nicht, du erstickst. Wenn du in den Armen zusammensinkst, lähmt der Schmerz deine Muskeln, und du bist nicht mehr imstande, die Luft aus den Lungen hinauszupressen. Dann kommt die Todesangst. Du stützt dich auf deinen durchbohrten Füßen ab, versuchst dich auf ihnen aufzurichten und dann kannst du ausatmen. Doch wird der Schmerz in Muskeln und Knochen so stark, daß du die Beinmuskeln lösen mußt und wieder hängst du an den Armen, erstickst also. Und der Zyklus wiederholt sich, einmal, zweimal, zehnmal. Du blutest fast nicht. Sobald du ein paar dieser Zyklen durchgemacht hast, ist der Schmerz nicht mehr zu ertragen, und du fällst in Ohnmacht. Doch die Todesangst weckt dich aus der Ohnmacht, und du wiederholst die Zyklen in grausam schmerzender Qual. Es sei denn, du hast Glück und fällst in so tiefe Ohnmacht, daß du erstickst. Aber das kommt erst nach langen Stunden. Es ist ein Tod mit einem eigenen Algorithmus des Sterbens, Admis. Und wenn den Wachsoldaten dein Todeskampf langweilig wird, und du noch am Leben bist, brechen sie dir die Beine. Dann kannst du dich nicht mehr darauf stützen, erstickst und stirbst schließlich. Willst du so sterben?«

»Ist es so, Adam?«

»Ja, Admis.«

»Das ist schrecklich.« Adam blickte ihn an und bemerkte den Schweiß auf seinem Gesicht. Mußte es denn so sein? Konnte man es nicht ändern?

»Du brauchst nur ein Wort zu sagen, und alles ist anders.«

»Nein, Adam. Ich werde nichts sagen. Möge es so geschehen, wie ich will, doch nicht so, wie der Mensch will, dessen Leib ich trage.«

»Ein Wort von dir genügt«, wiederholte Adam, doch Admis antwortete nicht mehr. Er glaubte zunächst, daß dieser ihn nicht hörte, worauf er den Transfer verstärkte, bis er sich als weiße Gestalt in ultravioletten Entladungen über dem Felsen abzeichnete.

Als Admis weiterhin nicht antwortete, kehrte er in den schwachen Transfer zurück und entfernte sich.

Er versetzte sich über die Wipfel der Ölbäume talabwärts zum Fuß des Hügels. Dann erblickte er die Herankommenden. Sie gingen in zwei Gruppen. In der ersten, mit Fackeln und Lampen ging Kario, umgeben von Priestern und Tempelwachen. Er ging schweigend, den Blick zu Boden gerichtet, während ihn andere in einem wirren Haufen umgaben, schrien und sich unterhielten. Er dachte, daß sie sich zu lärmend aufführten und ohne Grund schrien, bis ihm klar wurde, daß sie einfach Angst hatten. Adam dachte noch einmal daran, daß Admis sie all dessen beraubte, worauf sie warteten, sowohl jene, die an ihn glaubten, wie auch jene, die gegen ihn waren. Die Soldaten bildeten eine zweite Gruppe. Sie gingen schweigend in Dreierreihen. Jeder sechste trug eine Fackel. Er erkannte Ardo am Helm und Federbusch. Er ging an der Spitze der Abteilung, zwei Schritt vor seinen Männern. Er mußte daran denken, daß Ardo nichts von der Sache verstand, nichts begreifen konnte, doch seine Befehle ausführte, ohne zu fragen, ebenso wie alle Soldaten des Imperiums, und deswegen war das Imperium noch mächtig. Er wußte, daß die Zeit kommen würde, da es solche vom Schlage Ardos nicht mehr geben würde, Befehlshaber, die keinen Wein tranken, wenn sie ihre Truppen kommandierten, und die mit ihren Soldaten in der nächtlichen Wüste vor Kälte zitterten und am Tag, ohne den Helm abzulegen, in der Sonne standen, und im Kampfe ohne zurückzuweichen ihr Leben hingaben, wenn ihre Soldaten starben. Bald würden sie nicht mehr im Kampf ihr Leben hingeben, sondern an Freßsucht und Krankheiten sterben oder den Kopf im Selbstmord vor die Räder der Streitwagen legen, wenn ihnen der Imperator zu sterben befahl, weil es ihm dünkte, daß sie auf einem Ball schief gelächelt hatten, zu dem er sie gnädig einlud. Aber dann würde das Unternehmen, das Admis begonnen hatte, schon aufs ganze Imperium übergegriffen haben, und das auseinandergefallene Imperium würde die Keime des Unternehmens in alle Länder verstreuen, die einst zu ihm gehörten, ähnlich wie eine berstende Mohnkapsel den Samen in die Beete daneben verstreut.

Kario blieb stehen.

»Hier ist es«, sagte er.

Ardo nickte den ersten drei Soldaten zu, die sich durch die Tempelwachen drängten und ihm den Weg zu Kario freimachten.

»Ich will nicht, daß alle mit mir dorthin mitgehen«, sagte Kario. Er hörte die Priester und Wachen protestieren.

»Er hat recht«, sagte Ardo. »Ihr erreicht so nur, daß der Betreffende flieht. Meine Soldaten kommen mit, dazu einige Tempelwachen und die Priester.«

»Wir sollen den Betrüger festnehmen«, erklärte einer der Priester, »so lautet der Wille des Hohenpriesters.«

»Auch ich habe solche Befehle«, bestätigte Ardo.

»Doch wie werden wir diesen Menschen erkennen«, wandte sich der Priester an Kario.

»Ich werde an ihn herantreten und ihn umarmen«, sagte Kario.

»Einverstanden.« Ardo nickte. »Dann werden ihn die Wachsoldaten festnehmen. Doch vergeßt nicht, wenn einer das Schwert zieht, werden ihn meine Soldaten niederhauen. So lauten ihre Befehle. Ich werde bei euch sein, werde den Menschen aber nicht anrühren. Diejenigen, die gehen, mögen mit uns kommen!« Er winkte den Soldaten zu, die die Treppe hinaufstiegen. Hinter ihnen gingen die Priester und ein Teil der Wachen.

Nachdem sie den Berg zur Hälfte erklommen hatten, gab Ardo ein Kommando, und die Soldaten schwärmten in einem breiten Halbkreis aus. Er selbst ging mit zehn Soldaten, der Wache und den Priestern weiter, bis sie vier Menschen begegneten. Zwei von ihnen liefen über die Stiegen und verschwanden auf der anderen Seite in den Sträuchern. Adam erkannte die Zurückgebliebenen. Es waren Admis und Kefa. Die Soldaten kamen bis auf zehn Schritt Entfernung an sie heran und blieben stehen. Die Laternen beleuchteten die Gestalt des Admis, der unbeweglich dastand. Kefa trat zwei Schritt hinter ihn zurück. Die Tempelwachen und die Priester blieben hinter den Soldaten stehen, und er hörte bloß ihre erhobenen Stimmen und ihre Rufe. Es wurde ihm aufs neue klar, daß sie sich vor Admis fürchteten, und dachte, daß sein eigener Plan sicher besser war, denn er war in diesen Menschen teilweise bereits vorhanden.

Nur Kario zögerte nicht. Er trat an Admis heran, drückte ihn an sich, näherte sein Gesicht dem seinen und sagte:

»Admis, ich tue es, damit du siegst. Töte mich und sie, wenn du willst.«

»Du verrätst mich, Kario«, sagte Admis zu ihm und als sich jener entfernte, fragte er laut:

»Wen sucht ihr?«

Die Priester, die vor die Soldaten getreten waren und sich langsam Admis näherten, antworteten:

»Admis.«

»Ich bin es«, sagte Admis.

Adam wartete nicht länger. Die Soldaten waren hinten, vor ihnen die Tempelwachen. Den Transfer berechnend, schirmte er Admis und den danebenstehenden Kefa mit der unsichtbaren Kuppel des Feldes ab. Die anderen waren schon nahe und das sich ausbildende Kraftfeld schleuderte sie weg, so daß sie hinstürzten.

Admis wiederholte die Frage, als merke er nichts:

»Wen sucht ihr?«

»Admis«, antworteten diesmal die Soldaten und teilten Schläge an die zurückweichenden Tempelwachen und die Priester aus.

»Ich habe euch gesagt, ich bin es.«

Die Wachen gingen langsam und vorsichtig weiter. Adam beobachtete wachsam, ob in ihren Händen Schwerter oder Messer zu sehen waren. Da er nichts entdeckte, womit sie Admis töten oder verletzen konnten, nahm er das Feld weg.

»Am Tag habt ihr mich nicht geholt«, sagte Admis. »Ihr kommt nun nachts.«

Eine der Wachen trat an Admis heran. Da zog plötzlich der hinter ihm stehende Kefa das Schwert aus der Scheide und hieb damit auf den Hals des Wächters los. Der ging in die Knie, und das Schwert Kefas schnitt ihm ein Stück Ohr ab. Ardo erteilte einen Befehl, und die Soldaten zogen die

Schwerter. Der Mann mit dem fehlenden Ohr schrie vor Schmerzen.

Admis sah Kefa an und sagte:

»Steck dein Schwert in die Scheide!«

Die Soldaten gingen nach vorne. Dann traten die Wachen an Admis heran, packten ihn an den Händen und fesselten sie ihm mit Schnüren auf den Rücken. Andere warfen ihm einen Strick um den Hals, um ihn auf diese Weise zu führen.

Ardo begab sich zu seinem Zenturio.

»Dieser Mensch scheint mir sanft und harmlos zu sein«, sagte er zu ihm. »Seht euch vor, vielleicht sind seine Freunde gefährlicher.«

Der Zenturio erteilte seinen Soldaten Befehle, und sie schwärmten in alle Richtungen aus. Andere verließen ihre Verstecke unter den Bäumen und Sträuchern und traten in die Reihe. Die Tempelwachen stritten lautstark mit den Priestern, auf welchem Wege der Gefangene in die Stadt zu führen sei. Schließlich schlugen sie einen Umweg über die Hügel ein, um nicht, obwohl es nachts war, den Anhängern des Admis über den Weg zu laufen. Sie führten ihn an einem Strick, der um seinen Hals hing, und die Soldaten gingen daneben, denn so hatte es ihnen Ardo befohlen.

Der Mond ging hinter den Bergen unter, und die Nacht wurde so finster, daß Adam sogar im Transfer die Gesichter dieser Menschen nicht mehr erkennen konnte. Er bemerkte nur einen einsamen Menschen, der einige Schritte hinter den Nachzüglern ging. Es war Kario. Er starrte zu Boden, ohne um sich herum irgend etwas zu sehen; er stolperte und taumelte. Adam wußte, daß Kario auch an einem sonnenhellen Tag genauso gehen würde, und es tat ihm leid um ihn.

Sie erreichten das Haus des Hohenpriesters. Adam hörte laute Stimmen und das Geschrei der Knechte, die das Haupttor öffneten, denn die kleine Pforte war zu klein, um sie alle durchzulassen. Auf dem Hof hatte man zusätzliche

Lampen entzündet, und die Schar des Hauspersonals des Hohenpriesters scharte sich um Admis. Adam transferierte sich zur Seite, denn er wollte nicht die Flüche hören, mit denen der Mann belegt wurde.

Ardo nahm seine Soldaten mit, als der Gefangene das Tor passierte. Sie gingen in Dreierreihen zur Festung und nur die Fackeln, die jeder sechste Soldat trug, warfen flackernde Schatten auf die Hauswände. Er hörte das rhythmische Klatschen der Sandalen, das die schlafende Stadt weckte. Er wußte, daß Ardo dem Proktor bald Meldung über die Durchführung des Auftrags erstatten würde, blieb aber trotzdem im schwachen Transfer und betrachtete von oben die Lichter und das geschäftige Treiben im Hof der hohenpriesterlichen Residenz. Er dachte daran, daß für Admis der Augenblick der letzten Entscheidung immer näher rückte.

X. Kapitel

Die Luft im Kerker war stickig, und oben, rund um das kleine vergitterte Guckloch, das außerhalb seiner Reichweite lag, wuchs Moos. Er blickte von dem Augenblick an durch das Fenster, da die Morgenröte schwarze Umrisse an der dunklen Wand zeichnete und der letzte der Sterne verschwand, die nachts mit fernen weißen Punkten in dem Loch langsam weitergewandert waren. Dann ertönte die Glocke, die die Mönche zum Morgengebet rief, und die sich im Dunkeln bis an seine Person heranwagenden Ratten verkrochen sich in ihren Löchern. Er verspürte Durst, Schmerzen im Rücken und ein Reißen in den Gelenken. Nur die Wassertropfen fielen monoton von den Wänden, genauso wie in der Nacht, als sie die Zeitpunkte maßen, doch konnte er sie jetzt nicht hören, weil sie von den Glocken übertönt wurden. Dafür konnte er die rauhen Steine der Kerkerwände betrachten und wußte, daß er hier nicht als erster auf das letzte Morgengrauen wartete.

Die Glocke verstummte, und er hörte von weit unten im Dorfe das Krähen der Hähne. Dann vernahm er Schritte, das langsame Stapfen des Wächters, das Knarren der Riegel und das Quietschen der Türangeln.

»Komm raus, sie warten auf dich!« sagte der Wächter mit der erschöpften Stimme eines Mannes, der die ganze Nacht Wache gehalten hat.

Er erhob sich nur mit Anstrengung, tat zwei Schritte, als würde er sich zum Ausgang schleppen, trat mit bloßem Fuß in eine Lache in der Mitte des Kerkerraumes und glitt aus.

»Du kannst ja gar nicht gehen«, stellte der Wächter fest,

ging die zwei Stufen in die Tiefe des Verlieses hinunter und ergriff ihn vorsichtig, um nicht ins Wasser zu treten, am Arm.

»Komm schon!« sagte er.

Der Griff war nicht sehr fest, dennoch tat ihm der Arm weh.

»Stütze dich auf mich, lehne dich an! Du mußt weg von hier und du wirst nicht mehr zurückkommen.«

Er zerrte ihn aus dem Verlies nach oben und schleppte ihn stützend durch den dunklen Gang zur Treppe hin. Es war eine Wendeltreppe mit ausgetretenen Stufen, und sie kletterten in einer nicht endenwollenden Spirale, die nur ab und zu mit Licht aus den Öffnungen der Schießscharten erhellt wurde, nach oben. Er dachte, er befinde sich am Ende des Weges und machte eine Handbewegung in diese Richtung, weil ihn sein Bewacher zurückhielt.

»Nicht hier. Weiter oben. Erhole dich ein wenig«, fügte er hinzu und blieb stehen. »Na komm schon!« sagte er schließlich wieder, und sie gingen weiter.

Nach der nächsten Tür erblickte er die Sonne und spürte den Hauch des Windes. Die letzten Stufen bezwang er schneller und trat als erster auf die Steinterrasse hinaus. Die Sonne stand noch tief, aber der Nebel über den Wiesen hatte sich beinahe verzogen. Die Bäume waren in der Sonne schwarz, und ihre langen Schatten reichten bis zur Palastmauer. Weiter oben über der Terrasse sah er den Wall mit den Fenstern des Wohntraktes, die Basteien an den Ecken, den Abschluß der schwarzen Kegel der Dächer und die Kuppel der Kapelle, von wo er vorher die Glocke gehört hatte. Im Gesicht und auf dem Körper, wo sein linnenes Hemd zerrissen war, fühlte er die Wärme der Strahlen der tiefstehenden Morgensonne, in die er jetzt blickte. Der Bewacher lockerte seinen Griff jetzt etwas, dann warf er ihm einen Mantel über, offensichtlich, um ihn auf etwas vorzubereiten.

»In diesen Fetzen darfst du dich nicht dem Tribunal stellen«, sagte er.

Jemand näherte sich ihnen und trat hinter ihn. Er wandte sich nicht einmal um, sondern sah weiterhin zur Sonne hin.

»Geh weg!« hörte er eine Stimme sagen, die er kannte.

Der Bewacher entfernte sich und dann verspürte er eine Hand auf seinem Arm. Sie berührte ihn so leicht, daß er nicht einmal einen Schmerz verspürte.

»Schau mich an, Parakletos«, hörte er.

»Wozu«, fragte er mit heiserer Stimme. »Du, Vater, bist für mich schon Vergangenheit.«

»Erkennst du mich?«

»Ja. Du warst mein Meister.«

»Ich habe dir viel beigebracht ...«

»Du hast mir das Denken beigebracht, Vater.«

»Und jetzt treffen wir uns hier.«

»Gerade deswegen.«

»Das, was du verkündest, habe ich dir nicht beigebracht.«

»Dafür hast du mir das Denken beigebracht. Das genügt.«

»Nicht zu dem Zweck, daß du Ketzereien verkündest.«

»Ich verkünde bloß die Wahrheit.«

»Welche Wahrheit?«

Parakletos antwortete nicht.

»Deine Wahrheit ist nicht die meine, nicht unsere Wahrheit«, sagte der Meister.

»Ich weiß das, aber deswegen ist es doch wahr.«

»Gib zu, daß du abgeirrt bist, Parakletos. Vielleicht wird das Tribunal Verständnis dafür haben und dieser Sonnenaufgang wird nicht der letzte in deinem Leben sein.«

»Du weißt doch, daß ich nicht irre. Du mußt es wissen. Du wußtest es, bevor ich diese Wahrheit entdeckt habe.«

»Die Schrift behauptet etwas anderes.«

»Und deswegen muß ich sterben. Das Tribunal hat das

Urteil schon gefällt, bevor es zusammengetreten ist. Warum lebst du denn, Vater?«

»Ich habe mich nicht gegen die Schrift aufgelehnt.«

»Du hast also in Kenntnis davon geschwiegen. Für dich gibt es keine Hoffnung mehr.«

»Sprichst du von mir?«

»Von dir.«

»Parakletos, du urteilst über mich, bist aber selbst schon abgeurteilt.«

»Ich weiß. Aber die Sterne bewegten sich in dieser Nacht quer über das Fenster meiner Zelle, und ich wußte warum. Eppur si muove! Das ist die Wahrheit, nach der du fragst, und auch das, daß Venus und Merkur manchmal die Form eines Halbmondes annehmen und also auch sie um die Sonne kreisen. Es ist wahr, daß die Milchstraße nichts anderes ist als eine Menge unzähliger Sterne, die in Scharen auftreten. Das ist auch wahr, und ich verkünde es. Hörst du!«

»Lohnt es sich, für eine solche Wahrheit zu sterben?«

»Deswegen lebst du, Vater.«

»Und du wirst vom Tribunal abgeurteilt. Immer für die gleiche Sache. Nicht als erster und nicht als letzter.«

Er wandte sich ab. Er bemerkte ein kleines altes Männlein in einer Kutte, die Iris seiner Augen fast so weiß wie seine Haare. Als er ihn betrachtete, hob dieser mit einer langsamen Bewegung die Hände, griff sich an den Nacken, erfaßte den Saum des Tuches und zog eine Kapuze über das Gesicht – eine Maske –, so daß er nur noch die weißen Augen durch zwei im Tuch ausgeschnittene Löcher sah.

»Du wirst mich aburteilen?« fragte er.

»Ja. Lebe wohl, Parakletos, allerliebster meiner Schüler. Du stirbst für mich, für solche wie mich, denen es an Mut gebricht.«

Er entfernte sich mit dem trippelnden Schritt eines Greises, und Parakletos blickte noch einmal zur Sonne empor. Dann hörte er die Schritte der Wache. Sie umringten ihn zu viert, alle in festlich blankgeputzten Harnischen und Helmen.

So stand er eine Weile hinter dem Rücken der Wachen und über ihren Schultern sah er Wiesen und Bäume, weiter entfernt Felder und am Horizont einen Wald.

»Bringt ihn her!« rief jemand vom anderen Ende der Terrasse, und er spürte von hinten einen Stoß. Sie schritten langsam aus, Schritt für Schritt, und der Bewacher paßte seine Gangart seiner unsicheren Fortbewegung an. Sie traten in einen großen düsteren Saal, und als sich seine Augen an die Dunkelheit gewöhnt hatten, erblickte er Männer in Kapuzen, die mehrere Schritte vor ihm an einem Tisch saßen, so daß er nicht einmal ihre Augen sehen konnte.

Er wußte nicht, wer von ihnen sein Lehrer war, mag sein, daß er auch die anderen kannte und mit ihnen über die Erde, die Sonne und die Planeten diskutiert hatte, bloß lüfteten die anderen ihre Kapuzen nicht. Er stand vor ihnen und antwortete nicht, als sie ihn fragten, doch als sie endlich verstummten, sagte er:

»Wenn ich frage, wessen Werk Sonne, Mond und Erde seien, die Sterne, ihre Bewegungen und ihre Lage, werde ich voraussichtlich zur Antwort bekommen, daß sie ein Werk Gottes sind. Wenn ich weiter fragen werde, wessen Werk die Schrift sei, werde ich wohl zu hören bekommen, daß auch sie das Werk Gottes selbst sei. Wenn ich jetzt frage, ob Gott Worte verwendet hat, die offensichtlich der Wahrheit widersprechen, damit einfache Menschen sie verstünden, bin ich überzeugt, daß man mir erklären würde, noch dazu mit vielen Zitaten von allen möglichen heiligen Autoren, daß es tatsächlich nach der Schrift so Sitte sei, die Hunderte von Stellen enthält, die, wörtlich genommen, nichts anderes wären als Ketzerei und Blasphemie, denn Gott wird darin als ein Wesen voller Haß, Schuld und Trägheit dargestellt. Wenn ich jetzt frage, ob Gott, um von einfachen Menschen verstanden zu werden, je seine Schöpfung verändert hat, oder ob die Natur unverändert und menschlicher Sehnsucht unzugänglich immer den gleichen Bewegungsablauf und die gleiche Welteinteilung beibehalten habe, so bin ich überzeugt, daß man mir versichern würde, daß der Mond immer schon kugelförmig war, obwohl man ihn eine Zeitlang für flach hielt. Alles in einem Satz zusammengefaßt: Niemand wird behaupten wollen, daß die Natur sich jemals deswegen verändert habe, um ihre Werke für den Menschen verständlicher zu machen. Wenn dem so ist, dann frage ich, warum müssen wir, um zu einem Verständnis der verschiedenen Teile der Welt zu kommen, unsere Forschungen eher bei Gottes Worten beginnen lassen als bei seinen Werken selbst? Ist etwa das Werk weniger ehrwürdig als das Wort?«

Er stand inmitten eines Saales, dessen Wände mit schwarzem und weißem Marmor verkleidet waren. Rechts und links saßen in drei Reihen hintereinander im Halbkreis die Richter. Als er verstummte, erhob sich der Hohepriester aus dem Sessel und rief, mit beiden Händen sein Gewand zerreißend: »Gotteslästerer! Ihr habt es gehört. Was brauchen wir noch Zeugen. Ihr selbst habt die Lästerung gehört. Sagt nun dem Richter, was ihr davon haltet.«

Er gab dem Schreiber ein Zeichen und dieser begann, von den jüngsten Richtern angefangen, die Namen aufzurufen. »Des Todes schuldig«, wiederholten der Reihe nach die Richter, und die tiefstehende Morgensonne fiel durch die viereckigen Fensteröffnungen auf die Marmorplatten des Fußbodens. Niemand widersprach, und lediglich zwei leere Sessel zeigten an, daß es den Gerechten an Mut mangelte. Der Schreiber bereitete jetzt das Protokoll vor, legte den Inhalt der Anklage nieder, die Stimmen der Richter und das Urteil. Der Hohepriester verließ seinen Platz, begab sich ins Innere des Saales und legte, als Zeichen seiner Funktion, die goldene Binde mit der heiligen Schrift um. Die Richter unterhielten sich miteinander, und Admis stand einsam da, von der stundenlangen Schlaflosigkeit gebeugt, mit blauen

Flecken von den Schlägen und geronnenem Blut in den Mundwinkeln. So behielt Adam ihn in Erinnerung, als er den schwachen Transfer verließ, um wieder zum Proktor und Statthalter des Imperators zu werden, der dieses Todesurteil bestätigen sollte, denn so lauteten die Gesetze des Imperiums, und kein Todesurteil durfte ohne die Bestätigung des Statthalters des Imperators vollstreckt werden.

Als er in seine Kammer zurückkehrte, stellte er wieder den Kontakt mit Admus her.

»Ich habe ihn gesehen«, dachte er, »er ist mit seinen Kräften am Ende.«

»Der Mensch hält viel aus, wenn er ein Ziel hat, um wieviel mehr Admis. Er wird seinen Entschluß nicht ändern.«

»Ich werde ihn überzeugen. Die Flotte steht in Alarmbereitschaft. Die Anweisungen sind erteilt.«

»Nur ein Wort, Admis. Sogar durch einen schwachen Transfer können wir alle Informationen erhalten und das vorausgeplante Unternehmen durchführen.«

»Täuschung, Adam. Ich analysiere die Lage wirkungsvoller als du, und die Wahrscheinlichkeit von all dem Gesagten ist gering.«

»Ich werde ihn dazu bewegen. Die Leute, unter denen er gelebt hat, werden ihn befreien, diese Massen, die ihn unlängst noch in dieser Stadt feierten.«

»Du denkst zu menschlich, Adam. Du denkst wie der Proktor, der Ausüber der Macht, dessen Körper du trägst. Admis, der bist du selbst, und wenn er zu sterben beschloß, hast du es beschlossen. Lediglich die von euch getragenen Körper sind verschieden und doch wird sein Körper sterben, also steht ihm der Entschluß zu. Er weiß das auch.«

»Und wenn er davon zurücktritt?«

»Dann würde es ebenfalls dein Entschluß sein.«

»Du, der du auch er bist, verstehst du ihn, Admus?«

»Ich trage nicht den Körper eines Menschen.«

»Ja, aber ich bin Mensch und kann nicht begreifen, wie er, der über der Zeit steht, seinen Tod in der Zeit verlangen kann.«

»Diese Überzeitlichkeit, eine andere Qualität des Daseins, das wir sind, führt dieses Experiment durch, bricht in die Zeit ein, durchfließt ihre Falten und Windungen, erkennt diese Zeit, ihre bewußten und unbewußten Körnchen, die im Strom der Entropie um ihre Gestalt ringen. All das begreife ich. Doch ist die Erkenntnis der Zeit für die Überzeitlichkeit ein Experiment, ein Abenteuer der Wahrnehmung, so flüchtig, daß es fast kaum existent ist. Die chaotischen Schwingungen im Wasser schwebender Teilchen sind vom Standpunkt der Überzeitlichkeit ebenfalls ein Phänomen, und keiner der Experimentatoren stirbt dafür, bloß damit diese Stäubchen anders schwingen. Mag sein, daß ich mit meinem menschlichen Verstand etwas nicht begreife ...«

»Sie wird zu einem Teil des Experimentes, sein Objekt und sein Subjekt, das ist ungewöhnlich, das wolltest du sagen.«

»Ja. Und: Wie kann man mit Objektivität und Unparteilichkeit, hier auf diesem Planeten Gleichgültigkeit genannt, ein Experiment durchführen, dessen Bestandteil man selbst ist.«

»Man kann – davon wirst du dich überzeugen. Dein Urteil ist das Urteil eines Menschen. Für uns sind alle Dinge ex definitione schön, gut und richtig. Bloß die Menschen halten manche Dinge für richtig, andere für falsch.«

»Der Tod des Admis ist dann erst recht überflüssig.«

»Ich weiß, was der Tod auf dem Querbalken bedeutet, Admus. Nur in der Überzeitlichkeit ist der Tod ein leeres Wort. Ich werde dafür sorgen, daß er doch eine andere Wahl trifft.«

»Viel Erfolg, Adam.«

»Den gibt es in der Überzeitlichkeit auch nicht, weil die

Überzeitlichkeit an sich schon ein immerwährender Erfolg ist.« Er brach den Kontakt ab, hob die Isolierung der Kammer auf und blickte aus ihrem Fenster über die Gärten auf die Menschen hinab, die von hier aus als bewegliche Punkte auf den Straßen der Stadt zu sehen waren. Er dachte daran, daß heute noch die Stadt zu bestehen aufhören könnte.

Er dachte ferner daran, daß der Preis für die Rettung der Stadt der Tod eines Menschen auf dem Querbalken sei, der, ohne ein Mensch zu sein, doch einer war. Diesen Tod wollte er, Adam, nicht. Er hatte schon so viele Städte zerstört, die über Tausende von Jahren in der Zeit verstreut waren, daß in dieser Statistik eine Stadt nichts änderte, obwohl für ihn als Menschen diese Stadt seine eigene war.

»Aber ich bin doch kein Mensch«, dachte er und trat in den Flur hinaus.

»Herr«, hörte er eine Stimme hinter sich. Er drehte sich um. Es war Visa. Sie betrachtete ihn irgendwie anders und dieses eine Wort wurde auch anders ausgesprochen, als es die Sklaven zu sprechen gewohnt waren.

»Ich höre, Visa.«

»Kario ist hier. Er möchte Euch sprechen. Die Soldaten haben ihn nicht hereingelassen. Er ist wohl krank, Herr.«

»Warum glaubst du das?«

»Er sagt nur immer wieder, daß er Euch sprechen will. Er antwortet nicht auf Fragen. Ich habe ihn noch nie in einem solchen Zustand gesehen.«

»Gut, Visa. Ich werde mit ihm reden.«

Er klatschte zweimal in die Hände. Er hörte das Klatschen von Sandalen, und zwei Wachen traten vor ihn hin.

»Führt den Mann herein, den euch die Frau zeigt!« sagte er. »Durchsucht ihn sorgfältig auf Waffen!« fügte er hinzu.

»Aber Kario . . .« Visa konnte nicht zu Ende sprechen.

»Los! Geh mit ihnen, Visa, und bleib draußen!«

Sie gingen, und er trat in den Schatten der Arkaden. Als

Kario hereingelaufen kam, erkannte er ihn nicht. Aus Mangel an Schlaf blutunterlaufene Augen, ein in schmutzigen Strähnen verklebter Bart, das Gewand mit Lehm verschmiert. Er fiel vor dem Proktor auf die Knie nieder.

»Herr, rettet ihn! Rettet Admis! Er wird zugrundegehen. Er ist schon gerichtet und verurteilt.«

»Steh auf, Kario! Ich weiß alles.«

»Ihr habt nicht gesehen, Herr, was sie getan haben. Er ist blutüberströmt und taumelt schon im Stehen. Und beim Gehen fällt er nieder.«

»Steh auf, habe ich gesagt!«

Kario erhob sich, und erst jetzt blickte er den Proktor an.

»Laßt ihn frei, Herr!« sagte er.

»Er will es nicht, Kario.«

»Er will es nicht ... Was redet Ihr da, Herr? Noch heute wird er sterben ...«

»Er will sterben, Kario.«

»Kein Mensch will sterben, Proktor.«

»Er will.«

»Ich begreife nicht, warum Ihr so sprecht. Womit ist er schuldig geworden? Ich war lange mit ihm beisammen. Er leidet jetzt. Ihr sagtet, daß er im Falle seiner Verurteilung siegen würde. Aber er hat sich nicht einmal verteidigt. Ihr solltet ihn verteidigen, Herr. Ihr habt es mir doch versprochen. Ihr habt es versprochen. Ihr habt es versprochen! Redet!«

»Ich habe gesprochen, Kario.«

»Jetzt stehen Eure Soldaten Wache, spielen mit Würfeln, trinken Wein, und er wird sterben.«

»Er will es so.«

»Ihr lügt, Herr! Ich weiß, daß Ihr mich töten lassen werdet, aber Ihr lügt!«

»Und doch ist es die Wahrheit.«

»Nicht für ihn, Herr. Und nicht für mich. Mag ich verdammt werden, und verflucht sei der Tag, an dem ich geboren wurde, und die Mutter, die mich zur Welt gebracht hat.«

»Genug, Kario!«

»... und Ihr, Herr, weil Ihr es mir verspracht, aber vorher noch, weil ich Euch glaubte und diesen gütigsten, sanftesten aller Menschen dem Tode ausgeliefert habe. Möge ich tausendfach mit Euch verdammt werden!«

»Genug, sagte ich!«

»Ihr habt mir nichts mehr zu befehlen. Ihr könnt mich töten, aber rettet ihn. Er hat Euch doch nichts Böses getan. Warum möchtet Ihr, daß er stirbt, daß er uns alle verläßt, die um ihn waren ... Ihr seid ein Mörder, Herr. Denn nicht das Messer tötet, sondern die Hand, die es führt. Ich bin das Messer und die Erde möge mich verschlingen!«

»Ich sage dir, Kario, er will für dich sterben, für solche wie dich, für diese Stadt, damit sie bestehen bleibt.«

»Nein! Ein zweites Mal schenke ich Euch keinen Glauben mehr. Ihr wollt lieber, daß er stirbt, damit es keinen Guten und keinen Gerechten mehr in dieser Stadt gibt.«

»Noch werde ich ihn vielleicht retten können, Kario. Glaube mir!«

»Ich glaube Euch nicht. Eine Hundertschaft Eurer Soldaten würde ihn befreien. Bloß ein einziger Befehl. Aber Ihr wollt nicht, Herr. Ihr wollt bloß, daß nur solche wie Ihr auf dieser Welt leben, und stumpfe Sklaven, die für sie arbeiten. Sklaven, für die es keine Hoffnung mehr gibt und die für immer Sklaven bleiben werden. Ihr müßt solche wie ihn vernichten, denn die Wahrheit und die Hoffnung vernichten Euch.«

»Du nennst es Wahrheit?«

»Die Hoffnung, die Admis verkündet. Und deswegen muß er sterben. Ich werde Euch töten, Proktor.«

»Es genügt, wenn er stirbt. Es ist so, als ob ich, von euch getötet, sterben würde.«

»Ihr habt endlich Eure Maske heruntergelassen, Proktor.

Jetzt lügt Ihr nicht. Er wird sterben, damit Ihr herrschen könnt.«

»Du begreifst nichts, Kario.«

»Ich verstehe. Ich bin ein Verräter. Ich habe ihn ausgeliefert. Ihr habt saubere Hände und werdet sie behalten, ich dagegen bin in alle Ewigkeit verdammt. Ich, der ihn so liebt.«

Adam klatschte in die Hände und sofort kam ein Wachsoldat gelaufen.

»Fort mit ihm!« sagte Adam.

»In den Kerker?«

»Hast du gehört?«

Kario schrie laut auf. »Nein! Loslassen! Lieber bring ich mich um.«

»Fort mit ihm!« wiederholte der Proktor.

Der Wachsoldat ergriff Kario am Arm, und als dieser sich losreißen wollte, rief er nach dem anderen Soldaten, der gelaufen kam und Kario ins Gesicht schlug.

»Ich habe gesagt abführen, nicht schlagen!«

Der eine Soldat blickte zum Proktor hin, dann packten sie Kario an den Armen und schleppten ihn zum Ausgang, während er sich heftig widersetzte.

»Seid verflucht, Proktor!« rief er, und dann verstand Adam kein Wort mehr, sondern hörte bloß die immer leiser werdende Stimme Karios und die Flüche der Wache. Schließlich beschloß er, Admis zu besuchen. Er begab sich in seine Kammer, verriegelte die Tür, schaltete den Apparat ein und erschien in einem starken Transfer in seiner anonymen Gestalt in den Straßen der Stadt.

Die Sonne stand noch tief, und die Hausmauern warfen lange Schatten, die scharf mit dem beleuchteten Teil der Straße kontrastierten. Pilger strömten in die Stadt, und auf ihren Kleidern spiegelten sich die Sonnenstrahlen in weißen Flecken, bis sie als blaue Spiegelung des Himmels im Häuserschatten verschwanden. Um sich hörte er in den verschiedensten Sprachen, die er verstand, geführte Gespräche. Er ging am Haus eines bekannten Arztes vorbei, von dem er wußte, daß er als erster den grauen Star operiert hatte, und blieb im Schatten der Bäume seines Gartens stehen, die ihre Zweige über die Mauer hinweg auf die Straße streckten. Er brauchte nicht lange zu warten. Die Menge auf der Straße verdichtete sich gleichsam, an die Häuserwände gedrängt, und er bemerkte eine Gruppe von Menschen, die in der Mitte der Straße ging. Sie umfaßte mehrere Dutzend Leute, und die Menge floß rechts und links um sie herum, wie die Wolken des Planeten Jupiter den roten Fleck auf seiner Scheibe umströmen. Er erkannte einige in dieser Gruppe, obwohl sie genau die gleichen Gewänder trugen wie die anderen Fußgänger. Es waren als ganz gewöhnliche Priester gekleidete Tempelwachen, damit sie in der Menge nicht auffielen. Inmitten dieser Gruppe erspähte er nicht ohne Mühe Admis. Er wurde so geführt, damit die Fußgänger nicht behaupten konnten, er würde gewaltsam geschleppt.

»Sie fürchten ihn noch immer«, dachte Adam, »jetzt haben sie keine Angst mehr vor Blitzen und Feuerschlägen, aber vor seinen Anhängern, die sich überall ausbreiten. Sie geben sich lieber als Gruppe von Priestern aus, die zu ihren Gebetsübungen gehen, als daß sie als Wachen auftreten, die einen Gefangenen abführen.«

Er stieß sich von der Mauer ab und drängte sich zwischen der ersten Reihe der Wachen durch. Er war noch einige Schritte von Admis entfernt, als einer der Soldaten auf ihn einschlug. Da er mit dem Phantom dort war, spürte er den Schlag nicht und der Soldat schlug noch einmal stärker zu.

»Was hast du hier zu su ...?« fing er an, beendete den Satz aber nicht. Jemand hinter dem Rücken Adams berührte ihn leicht, er schrie auf und fiel, sich in Krämpfen windend, zu Boden. Er schrie immer lauter, und die Priester scharten sich um ihn. Adam wandte sich um und erkannte den amüsierten Blick Masmos.

»Ich beschütze meinen Herrn«, vernahm er. Er zuckte die Achseln. Die Wachen neigten sich über den Liegenden, worauf Adam noch einige Schritte bis hin zu Admis machte.

»Ich bin bei dir«, sagte er. Er blickte Admis an und erkannte, daß Kario die Wahrheit gesprochen hatte. Jener Admis, den er in Erinnerung hatte, und der zerschlagene, gebeugte Mann, gealtert und in zerfetzter und zerrissener Kleidung, erinnerten nicht einmal an Brüder, sondern höchstens an ferne Verwandte, von denen dieser zwanzig Jahre mehr an Hunger, Krankheiten und Elend durchgemacht hatte. Nur die Augen waren gleich geblieben, ruhig und etwas abwesend, obwohl die Augäpfel blutunterlaufen waren.

»Ich bin es«, wiederholte er.

»Ich sehe dich, Adam, und danke dir.«

»Du wirst bald mit dem Proktor zusammentreffen. Er will das Urteil nicht bestätigen.«

»Ich weiß, doch wird er mich trotzdem zum Tode verurteilen.«

»Admis . . .«

»Adam . . .«, unterbrach ihn dieser. »Sieh dich um! Ich habe Kario in der Menge gesehen. Er hat mich eine Weile angesehen, dann ging er dorthin zurück, woher ich gekommen bin. Paß auf ihn auf, Adam, obwohl er mich verraten hat.«

»Denkst du an ihn . . . jetzt?«

»Meine Zukunft ist schon vorherbestimmt. Geh ihm nach! Hilf ihm, wenn du kannst!« Admis wandte sich um und sah nicht mehr Adam an. Die Wachen drängten sich zwischen sie. Adam sah die Weite der Straße hinunter und bemerkte den davonlaufenden Kario. Als er ihm zu folgen begann, hörte er eine Stimme.

»Wozu verfolgst du ihn, Herr? Er gehört mir.«

»Laß das, Masmo! Du weißt doch, wie es wirklich war.«

»Ja, Herr. Aber er ist mein. Hier in diesem Puzzlespiel zählen keine Intentionen. Die Tat ist entscheidend, nicht das Wort. Er ist mein in alle Ewigkeit.«

Er machte einen Sprung mit dem Phantom, um Kario einzuholen und verschwand von der Straße, um im Arkadengang des Tempels aufzutauchen, denn Kario hatte diesen schon erreicht. Dort standen die Priester, darunter der Schreiber, der Kario die Denaren ausbezahlt hatte. Sie unterhielten sich, doch als sie Kario bemerkten, verstummten sie und starrten ihn an. Kario blieb stehen und näherte sich ihnen dann langsam.

»Ich habe unschuldiges Blut ausgeliefert«, sagte er.

»Das geht uns nichts an«, antwortete der Schreiber nach einer Weile. »Das ist nicht unsere Sache.«

Kario wollte etwas erwidern, verschluckte sich aber. Er hustete, halb gebeugt, und sie sahen zu ihm hin. Schließlich verging der Hustenanfall, Kario richtete sich auf. Jetzt sagte er nichts mehr, sondern knotete langsam den Lederriemen des Schurzes auf, in dem er das Geld trug, nahm es heraus und schleuderte es heftig den Priestern vor die Füße. Die Tempelwände hallten wider vom Echo des Aufpralls der Silbermünzen auf den Steinplatten des Fußbodens. Kario wandte sich um. Ohne den Schurz zuzubinden, lief er über den Hof zum Tempelausgang. Wieder verschwand er in der Menge, doch jetzt lief er, die Fußgänger von sich stoßend, taumelnd bis zu den Hausmauern hin. Die Passanten blieben stehen, und die Kinder zeigten auf die hinter ihm schleifende Gürtelschnalle des Schurzes und fragten die Eltern, was das sei. Er durchquerte das Viertel der Reichen, lief dann eine steinerne Treppe hinunter, übersprang einige Stufen, und Adam sah nur sein weißes Gewand im Sonnenschein, als er dem Schatten der Zypressen, die entlang der Stiege wuchsen, folgte. Dann lief er die Innenmauer entlang, bis er zu dem Weg kam, der durch das Stadttor hinausführte. Nachdem er sich durch die zum Tor hereinströmenden Pilger durchgekämpft hatte, lief er hinaus und blieb dann in der stechenden Hitze stehen. Er blickte zur Sonne empor, dann seitwärts auf die weißen Stadtmauern. Schließlich bemerkte er einen schmalen Pfad, der knapp neben der Mauer über die Böschung führte. Er zögerte eine Weile, dann lief er auf diesem Pfad weiter. Er war sehr schmal und unten, einen Meter tiefer, lagen auf dem Grund des Grabens weiße Felstrümmer, hinuntergeworfene Überreste der Steine, aus denen die Festungsmauern der Stadt errichtet worden waren. Weiter konnte er nicht laufen, weil der Pfad allzu eng wurde, also ging er, bis er den Ölbaum bemerkte, der knapp neben dem Fuß der Mauer herauswuchs, und dessen Stamm und Zweige über den Hang hinaushingen. Dort blieb er stehen. Er blickte hinter sich zum Tor zurück und stand einen Augenblick lang regungslos da. Schließlich spreizte er den Fuß gegen den Stamm und wollte diesen schütteln. Der Baum war aber zu groß, und die grünen Frühlingsblätter auf seinen Ästen zitterten nicht einmal. Langsam löste er den Gürtelriemen und legte ihn ab. Vorsichtig, den Riemen in einer Hand, kletterte er auf den Baum und dann weiter auf den dicksten Zweig, auf dem er sich auf allen vieren niederließ. Er verknotete den Riemen und überprüfte den Knoten durch heftiges Zuziehen. Das andere Ende des Riemens wickelte er sich um den Hals und verband es hinter dem Ohr zu einem doppelten Knoten.

»Kario«, rief Adam. »Tu es nicht!«

»Er hört dich nicht«, antwortete knapp neben ihm die Stimme Masmos. »Er hat alles, sogar deine Rufe hinter sich gelassen.«

»Es ist doch nicht seine, sondern meine Schuld.«

»In der Überzeitlichkeit, Herr, existiert der Begriff ›Schuld‹ nicht, und in die Zeit hast du den Begriff ›Schicksalsbestimmung‹ eingeführt.«

»Aber er ist der Gerechteste aller Gerechten.«

»Nur für dich, Herr, für niemand anderen, nicht einmal

für ihn selbst. Nur du weißt, wie es war, und wirst es wissen, und ich natürlich auch, aber das zählt nicht.«

Kario zögerte noch, dann ließ er sich mit einem Ruck vom Ast hinunterfallen, blieb über dem Abgrund hängen und der Riemen spannte sich unter seiner Last. Adam blickte zur Seite. Dort stand Masmo. Er sah Kario zu. Er wartete. Als die Zeit um war, streckte er die Hand aus, der Zweig brach mit einem Knacken ab und fiel mit dem Leichnam, gegen die Felsen schlagend, den Hang hinunter. Er fiel immer weiter nach unten, bis er unten im Tal liegenblieb. Adam blickte nicht hinunter.

XI. Kapitel

Er ging auf den Balkon hinaus und sah auf den Hof hinunter. Ihm zur Seite stand Ardo, einen halben Schritt hinter ihm. Die Sonne war bereits weiter aufgegangen, und über den Steinplatten des Hofes flimmerte die Luft bereits durch die Hitze. Im Hof saßen die Soldaten in kleinen Gruppen herum, aber er wußte, daß sie in Alarmbereitschaft waren. Die Posten auf den Mauern führten ihre eintönigen Streifengänge durch.

Als er die von den Arkaden kommende Menge bemerkte, wußte er, daß es die verkleideten Tempelwachen waren.

Auf sein Zeichen hin trugen die Sklaven einen großen Sessel herbei, von dem aus er über das Leben der Verurteilten entschied, und stellten ihn auf eine steinerne Plattform, die sich einen Meter über dem Hof erhob. Aus der Menge trat ein Wachsoldat heraus, der das Ende des Strickes hielt, mit dem der Gefangene gefesselt war. Dann erblickte er Admis. Admis ging taumelnd, und der Wächter zerrte ihn mit dem Strick an das Podest heran.

Der Proktor ging die Stiegen vom Balkon hinunter und stellte sich auf das Podest. Hinter ihm schritten zwei Gardesoldaten. Als er sich auf dem Stuhl niederließ, stellten sie sich rechts und links von ihm auf, gestützt auf Lanzen. Er gab ein Zeichen, worauf sich vier Soldaten näherten und Admis umringten. Der Tempeldiener streckte die Hand mit dem Strick aus, aber die Soldaten standen regungslos, darum ließ er den Strick auf den steinernen Boden des Hofes fallen und begab sich zur Menge. Admis stand jetzt vor dem Podest, in der Nähe des Proktors. Der Pöbel war einige Schritte entfernt, doch nahe genug, daß der Proktor ihre Gespräche hören und den Gestank der Menge riechen konnte. Er hob die Hand, und die Menge verstummte.

»Was werft ihr diesem Menschen vor?« fragte er laut, so laut, daß es sogar in den Arkaden des Hofes zu hören war.

»Wenn er kein Verbrecher wäre, hätten wir ihn dir nicht vorgeführt«, rief einer der Priester zurück.

»Also nehmt ihn und urteilt über ihn nach eurem Recht.«

»Wir dürfen nicht mit dem Tode strafen«, schrie der gleiche Priester zurück.

»Dieser Mensch wiegelt das Volk gegen den Tempel und den Imperator auf.«

Der Proktor erhob sich.

»Führt ihn in meine Räume«, sagte er zur Wache und ging über die Stiege zum Balkon in den Palast. Drinnen war es kühler. Er setzte sich auf die Liege und wischte sich den Schweiß von der Stirn. Nach einer Minute führte die Wache Admis herein.

»Laßt uns allein ...« Er unterbrach sich. »Geht hinaus!« sagte er, denn er begriff, daß solche Aussprüche nicht die Worte eines Proktors des Imperators sein konnten. »Und daß mich niemand stört!« fügte er schärfer hinzu. Die Wache zog ab, und er schaute Admis an.

»Du siehst schlecht aus, Admis«, sagte er. Er bemerkte so etwas wie eine Spur von Lächeln auf seinem Gesicht.

»Jetzt weiß ich, wer über mich gewacht hat.«

»Ich werde dich ein Bad nehmen lassen, und wir werden uns im Garten erholen.«

Admis sah ihm eine Weile zu.

»Verzeih mir, Adam«, sagte er, »aber jetzt sprichst du wie Masmo.«

»Aber aus einem anderen Grund, Admis. Du tust mir leid. Wirklich leid. Du willst für die Menschen sterben, aber wo sind diejenigen, die an dich geglaubt haben.«

»Die Menschen sind schwach, Adam, und Wankelmut ist

ihnen eigen. Am sichersten fühlen sie sich in der Herde, mit kapuzenvermummtem Gesicht. Doch unter der Kapuze denken und fühlen sie. Und immer wird ihnen jemand die Kapuze herunterreißen und hinter denen werden andere folgen. Dann zerstören sie die Imperien und schaffen sich neue. Du weißt es doch. Das ist der Mechanismus des Fortschritts, den wir nicht verändern können, dessen Wirkung wir aber beschleunigen wollen. Sie wollen immer besser sein, sind aber nicht immer dazu imstande.« Admis blickte Adam jetzt ganz aus der Nähe an:

»Bloß, wissen Sie das, Admis?«

»Ich möchte, daß sie es wissen, mögen sie den Mut haben, es zu wissen, und dazu brauchen sie die Hoffnung.«

»Ach, Admis, müssen wir uns denn wirklich damit beschäftigen?«

»Du sprichst wie ein Mensch, Adam, der nach seiner Kapuze sucht. Gerade deswegen sind wir in die Zeit eingetreten.«

»Doch wir sollten wie die Evolution handeln. Jene ausschalten, die die Bedingungen nicht erfüllen, um die Entwicklungschancen der anderen zu erhöhen, die ihnen gerecht werden. So haben wir immer gehandelt. Wir unterstützen diesen universalsten aller Mechanismen. Diesmal sollte es auch so sein. In diesem Mechanismus ist dein Tod aber überflüssig.«

Admis schwieg, und Adam hörte nur, wie das Wasser im Brunnen auf die Steinplatten trommelte, ein aus der Ferne kaum wahrnehmbares Geräusch.

»Siehst du, Adam«, sagte Admis, jedes Wort sorgfältig abwägend. »Als ich Mensch wurde und unter ihnen lebte, wurde mir klar, daß der Mechanismus der Evolution auf diesem Planeten im Erlöschen begriffen ist. Nicht die Umwelt wird sie formen, sondern sie werden den Planeten gestalten. Bereits in sehr kurzer Zeit, gemessen an der Gattungsgeschichte. Sie werden hier zu lokalen Göttern werden, und es ist dir wohl klar, was junge Götter anstellen können, wenn es ihnen an Vernunft und Hoffnung gebricht. Ich bange um sie, Adam. Im Kosmos gibt es so viele tote Planeten und so wenige lebende. Ich will ihnen helfen. So weit ich kann, schon jetzt, solange noch Zeit ist, damit jeder von ihnen anders werden kann, weil sie dann, wenn sie schon anders zu denken gelernt haben, es auch dann noch tun, ohne es selbst zu wissen, wenn sie uns schon vergessen haben.«

»Ach, deine Hoffnungen. Die Entwicklung ihrer Zivilisationen ist ein objektiv existierender Mechanismus, genauso wie die Evolution, und sie wird ihren Gang weitergehen, ob mit oder ohne uns.«

»Aber die Menschen in diesen Zivilisationen können ja anders sein, weil sie in einem sich über Jahrhunderte erstreckenden Prozeß geformt wurden, geformt auch von dem, was von Generation auf Generation übermittelt wird. Unsere Überlieferung wird viele Generationen überstehen.«

»Sie mögen unterschiedlich sein, aber nicht anders. Ich bin auch ein Mensch, ich kenne die Menschen.«

»Als Mensch bist du ein Herrscher. Nun, was wissen denn die Herrscher schon von den Menschen. Lebe unter ihnen ... Dann wirst du die Wahrheit kennenlernen.«

»Nun, was ist Wahrheit?«

Admis antwortete nicht.

»Derjenige, der wirklich an dich geglaubt hat«, fuhr Adam fort, »ist schon tot.«

»Kario?«

»Ja. Er wird in die Geschichte als Verräter eingehen, und er liebte dich wirklich und brachte sich um, bevor man dich mir vorführte, denn er war nicht imstande, mit dem Gedanken zu leben, daß er dir Leiden zugefügt habe. Er ist dein erstes Opfer, Admis. Wieviele Gerechte werden erst umkommen, wenn du dein Ziel erreichst und stirbst. Und die

Stadt wird so bleiben, wie sie ist, mit einer Handvoll Gerechter und dem nach Blut lechzenden Pöbel. Wenn du nicht an die Gerechten denkst, muß ich an sie denken. Jetzt fordert der Pöbel Blut, und morgen?«

»Ich bin müde, Adam. Mein Körper ist schwach. Bestätige das Urteil, und es möge geschehen, was geschehen muß.«

»Nein, Admis. Stell dir nicht deinen Tod, sondern den Tod deiner Jünger vor. Ihren Schmerz und die Stunden der Todesqual. Du denkst an deinen und ihren Tod im abstrakten Sinne und nicht als Mensch.«

Admis lächelte.

»Das, was sie mir schon angetan haben, war keine Abstraktion mehr.«

»Aber man kann es nicht mit dem Tod auf dem Querbalken vergleichen. Ich habe Menschen gesehen, die auf diese Weise gestorben sind.«

»Es ist meine Wahl. Bitte bestätige das Urteil. Ich bin schon sehr erschöpft.«

»Nein, Admis.« Der Proktor klatschte in die Hände, und die Wache kam herein.

»Abführen! – Sanfter!« fügte er hinzu, als einer der Wachsoldaten am Strick zerrte.

Der Soldat warf ihm bloß einen kurzen Blick zu und senkte die Augen.

»Mögen dich andere verurteilen«, fügte er hinzu, »woran ich aber zweifle.«

Nachdem Admis abgeführt worden war, wartete er einige Minuten und trat dann auf den Balkon hinaus.

Die Menge nahm noch sichtlich zu, und er sah Soldaten, die auf Befehl Ardos mit Lanzen Aufstellung nahmen und den Pöbel vom Steinpodest abdrängten.

Er hob die Hand, und als die Menge verstummte, sagte er langsam mit deutlich vernehmbarer Stimme:

»Ich sehe keine Schuld in diesem Menschen.«

Im Geschrei des Pöbels gingen seine weiteren Worte unter. Die Menge forderte seinen Tod. Die Priester, weil sie ihre eigenen Interessen verteidigten, die Tempelwachen, weil sie von den Priestern bezahlt wurden, und die übrige Menge, weil sie stundenlang in der Sonne gestanden hatte und den Verdacht hegte, sie warte vergebens. Anscheinend gab Ardo vom Balkon aus ein Signal, denn aus den Seiteneingängen der Festung traten Soldaten in voller Ausrüstung hinaus und nahmen in Zweierreihe Aufstellung, auf die Lanzen gestützt. Diejenigen, die vorher in der Menge gestanden hatten, schoben sich dicht an die Mauern heran, ebenfalls mit Lanzen bewaffnet. Wenn der Proktor einen solchen Befehl erteilte, würden sie die Lanzen in die Menge stoßen. Er wußte das, denn das war die Kampfesweise der Fußsoldaten des Imperiums. Erst nach dem Lanzenstoß wurden die Schwerter gezogen.

Sobald der Pöbel die Bewegung unter den Soldaten bemerkte, drückte er sich dichter zusammen und wurde still, so daß der Proktor weitersprechen konnte.

»Zufolge des Umstandes, daß dieser Mensch jenseits der Grenzen dieser Provinz geboren wurde, steht es mir nicht zu, über ihn ein Urteil zu fällen, sondern dem Herrscher Gatiens. Ich ordne an, ihm den Gefangenen in seinem Palast vorzuführen.«

Ohne Admis nochmals anzusehen, kehrte er in seine Räume zurück. Er ließ sich auf der Liege nieder und griff nach einem Weinschlauch, schenkte etwas Wein in einen Kelch ein und trank ihn in kleinen Schlucken, bis er im Inneren seines Leibes die Kälte verspürte.

»Du hast Glück, Herr, daß der Herrscher Gatiens seinen Palast hier in der Stadt hat, und daß er sich jetzt gerade in ihm aufhält«, sagte die Stimme.

»Was willst du, Masmo?« fragte er, ohne seine Stellung auf der Liege zu wechseln. »Und zeige dich, denn ich liebe es nicht, mich mit einer Stimme zu unterhalten.«

»Ich will dir mitteilen, daß du wie immer recht hast, Herr.« Vor der Liege wurde die Luft aufgewirbelt, Masmo trat in seiner schwarzen Kapuze vor ihn hin und verbeugte sich.

»Du sprichst von Admis.«

»Ja, Herr.«

»Du schmeichelst mir wie immer. Er hat Argumente, und dein Erscheinen bei mir verstärkt sie nur noch. Was willst du wirklich?«

»Ich bin gekommen, um dir die Ehre zu erweisen. In Wirklichkeit ist für mich diese Sache ohne Bedeutung. Ich werde auf diesem Planeten so lange bleiben, als du es mir erlaubst, Herr. Wenn du mir befiehlst, mich ins Nichts zu entfernen, so habe ich keine andere Wahl. Aber ich will dir sagen, daß die Antwort, die du Admis auf seine unbedachten Einfälle gegeben hast, köstlich war.«

»Sogar du hast bessere Argumente als ich. Ich weiß das. Ich bin kein Meister der Argumentation, Masmo.«

»Du brauchst es nicht zu sein, Herr. Das hast du nicht notwendig. Du hast ex definitione recht, du brauchst es also nicht zu rechtfertigen. Du hast recht, weil du eben recht hast. Genauso ist es mit der Macht. Du brauchst sie nicht unter Beweis zu stellen, weil du sie hast. Ihre Macht zeigen nur jene, die nicht sicher sind, ob sie sie haben.«

»Laß mich in Ruhe! Ich möchte Wein trinken und mich etwas erholen, bevor sie zu mir zurückkommen.«

»Bist du sicher, daß sie zurückkommen.«

»Ja. Der Herrscher Gatiens hat Elsz umbringen lassen und das hat ihn beim Volk nicht gerade populär gemacht. Er ist nicht dumm und wird den gleichen Fehler nicht noch einmal machen.«

»Wozu hast du also Admis dorthin geschickt?«

»Du fragst mich das, du, der du immer derartige Methoden anwendest. Du bist viel schlauer als ich, aber ich bin nicht so naiv, wie du glaubst, Masmo.«

»Ich würde es nicht wagen, Herr.«

»Du würdest es wagen und hast es nicht bloß einmal getan. Die Zeitlinie ist von deinen Unternehmungen voll, die Zeugnis ablegen können für alles, bloß nicht für deine Zurückhaltung.«

»Das habe ich von den Menschen gelernt. Du hast es ihnen erlaubt.«

»Aber du bist kein Mensch.«

»Und du, Herr?«

»Nun ja, ich bin es wohl, wenn du es ausnutzen willst.«

»Nur um das Glück des Gesprächs mit dir, Herr, genießen zu können. Aber es ist doch nicht schlecht, ein Mensch zu sein. Dieser Planet ist so wunderschön und ihr Leben nicht völlig vorherbestimmt. Im Leben eines jeden von ihnen kann so viel Unvorhergesehenes passieren. Dieses Spiel mit der Zeit und dem Zufall sind eine Leidenschaft und ein Hasardspiel, denen sogar du erliegst.«

»Schweig! Ich bleibe nicht für immer hier.«

»Sie auch nicht, Herr. Und das ist auch richtig so, denn die ewige Lotterie wird langweilig. Nach einiger Zeit sehnt sich der Mensch nach Ruhe. Aber in der Zwischenzeit ... Nicht nur wir, verzeih mir, daß ich es wage, so über dich und mich zu reden, der ich ja doch nur Staub unter deinen Füßen bin, aber nicht nur wir nehmen manchmal Menschengestalt an. Glaubst du es nicht?«

Er befand sich in einer anderen Zeit, und als er durch eine unsichtbare Wand das klimatisierte kühle Innere verließ, spürte er im Gesicht die echte Nachtluft, heiß und feucht und nach Meeresalgen duftend. Auf der Terrasse flogen große Falter gegen einen Lampion, eine große Lichtsäule, die die Farben wechselte und die Terrasse beleuchtete, etwas weiter entfernt befand sich eine steinerne Brüstung und am Rande der Dämmerung zeigten sich Palmwipfeln. Er näherte sich der Brüstung und lehnte sich fest dagegen, weil er den zuvor getrunkenen Alkohol spürte. Die Steine der Brüstung waren von der Sonne des vergangenen Tages erhitzt, des letzten Tages im Jahre 2500. Tief unten gingen Menschenmengen auf der Promenade spazieren. Unter den vielstöckigen, runden, rohrgedeckten schirmähnlichen Konstruktionen, die tagsüber vor der stechenden Tropensonne schützten, drang Stimmengewirr und das Knallen der traditionellen Sektpfropfen zu ihm herauf. In etwas größerer Entfernung lag das Meer, und auf der Terrasse hörte er sein Rauschen.

Er sah zum Himmel empor, in der Richtung, wo der Mars sein mußte, aber er sah keine Sterne, bloß Lichter und ihre Widerspiegelungen in der Bucht. Aber der Mars war dort, er wußte darüber bestens Bescheid, und auch, daß er sich nicht täuschte. Er hatte wohl zu viel getrunken, und dieser unwillkürliche Blick zum Mars ärgerte ihn. Er sah zur Terrasse hin, zur Lichtsäule des Lampions und dem Umriß des Mädchens, das auf ihn wartete, aber er dachte an den Mars und beschloß endlich, dem ein Ende zu machen.

»Basiswache«, rief er in Richtung der Brüstung, »um Mitternacht abschalten.«

»Lokal oder mit der Korrektur für die Abweichung von der Norm.« Die Stimme klang tief und dumpf.

»Selbstverständlich nach der Norm, Trottel.« Das letzte Wort fiel nach einigem Zögern, aber er glaubte, daß man sich in einer solchen Situation genauso verhalten mußte.

»Ich habe verstanden«, erwiderte die Stimme.

Er sah noch einmal zur Bucht hinunter, dann kehrte er um und trat an das Mädchen heran.

»In einer Minute ist es Mitternacht, Liebling«, sagte er. »Die Hälfte des dritten Jahrhunderts liegt hinter uns.«

Sie blickte ihn unter dem dunklen Ponyschweif ihrer Haare an und lächelte.

»Freust du dich, daß wir jetzt hier sind?«

»Ja«, antwortete er und dachte, daß er ein solches Mädchen wirklich lieben könne. Er machte den Sekt auf und wunderte sich, daß er es geschickt tat, obwohl er früher nie archaische Flaschen geöffnet hatte.

»Das Geschrei unten hat sich irgendwie gelegt.«

»In einer Sekunde ist es Mitternacht«, sagte das Mädchen. »Ich werde dich küssen, über der Bucht werden Feuerwerke knallen, und schon werden wir im neuen Jahr sein.«

Sie stand auf und näherte sich ihm, so daß er den Duft ihres Haars riechen konnte.

». . . noch drei Sekunden, zwei . . . jetzt . . .« Das Bild flimmerte, fiel zusammen und verschwand. Auch die Bucht war ebenso verschwunden wie die Terrasse und die Palmen. Er betrachtete die mit elastischen Fliesen verkleidete Wand. Er sah sie im grellen bläulichen Licht, und als er sie direkt ansah, bemerkte er den Sechsten, der ulkig tanzte, als ob er im Traum zu laufen versuchte. Dann wurde auch der Sechste wieder munter und blickte ihm ins Gesicht.

»Hast du es getan?« fragte er.

»Ich?« antwortete er. »Das ist nichts für uns, Sechster. Später kann alles nicht mehr zu ertragen sein.«

»Aber das ist ja kein Silvesterball . . .«

»Neujahrsvergnügungen sind nicht für solche wie uns . . . Glaubst du nicht?« Er lachte. »Trinken wir doch lieber Sekt.«

»Du scherzt.«

»Sekt!« rief er.

Im Innern des Raumes begann sich etwas zu bewegen und ein kleiner Automat mit zahlreichen Halterungen fuhr an seinen Sessel heran. In einer Halterung steckte die Sektflasche, in den anderen eine Reihe von Gläsern.

Er streckte den Kopf aus dem Helm und wartete, daß der Automat die Flasche öffnete. Der Automat hantierte daran herum und bald hörte er ein leises eintöniges Geräusch. Es war der vom Marswind mitgetragene Sand, der gegen die Kuppel der Basis trommelte.

Der Korken knallte. Der Fünfte griff nach dem Glas und

hob es zum Gesicht, in dem es keinen Mund gab. Er stürzte es um und sah sich an, wie der Champagner schäumend den Panzerrumpf hinunterglitt. Der Metallgriff der Hand zerquetschte das Glas und das Glas zersplitterte rund um den Sessel. Der Sechste kicherte.

»Du sitzt unter dem Sessel des Visiotrons und bildest dir ein, du seiest schon ein Mensch. Das bist du nicht, und du wirst nie seine Stelle einnehmen. Wenn sie in die Basis zurückkehren, wirst du dich davon überzeugen.«

»Natürlich hast du recht, Sechster, aber wir haben erst das erste von den anderen fünfhundert Jahren dieses Jahrtausends begonnen.« Er stand auf und begann mit seinen Greifern der Reihe nach die Glassplitter bis zum letzten Stück aufzulesen.

»Masmo«, schrie er. »Du Halunke! Was erdreistest du dich?! Und wer bist du?«

»Mich gibt es nicht, Herr. Du hast mich erfunden, als ich noch eines von deinen Intrigenspielen in der Zeit war. Der Mensch weiß, daß er sterben muß, und ich weiß, daß es mich nicht gibt. Nur deswegen kann ich manchmal so tun, als sei ich gegen dich. Und du weißt das auch und deswegen erlaubst du mir so zu tun, als gäbe es mich. In Wirklichkeit existierst nur du. Und das ist die Wahrheit.«

Adam antwortete nicht.

Über dem Geräusch des Brunnens hörte er den zunehmenden Lärm der näherkommenden Menschenmenge. Er wußte, daß er bald wieder auf den Balkon hinaustreten, in den Strahlen der Sonne stehen würde, die ihn vom höchsten Punkt ihrer Bahn am Himmel erreichten, und wie immer allein sein würde.

XII. Kapitel

Der Zenturio trat vor ihn hin und hob die Hand.

»Der Herrscher Gatiens schickt Euch den Gefangenen zurück und übermittelt Euch seine Empfehlungen, Proktor.«

»Ich komme gleich hinaus. Richte das dem Kommandanten aus!« Der Proktor entließ den Zenturio mit einer Handbewegung.

Er wußte, daß er schon in die Sonne gehen, vor die Menge hintreten und Admis ihn wieder sehen sollte. Er wäre lieber im Schatten geblieben, hätte den in die Luft geschleuderten Tropfen im Brunnen zugesehen und dem Turteln der Tauben, die sich hier zum Wasser drängten, gelauscht. Er dachte an die Muße der Überzeitlichkeit, die Stille ohne Anfang und Ende und an die Zeit, die es dort nicht gab. Zum erstenmal dachte er auch, daß er vom Aufenthalt auf diesem Planeten erschöpft war.

Er trank den Wein aus und trat auf den Balkon hinaus. Die Menschenmenge war diesmal noch größer. Er betrachtete die Profile der Köpfe in den ersten Reihen der Priester, die mit weißem sauberen Leinen bedeckt waren, und ihre sorgfältig gestutzten graumelierten Bärte. Ihre weißen Gewänder bildeten die Fassade der Menge. Weiter hinten wurden die Bärte dunkler und die Kopftücher schmutzig. Noch weiter zu den Arkaden hin verschmolzen die Umrisse der Köpfe in einem grauen Hintergrund, und die Bogengänge waren schon mit einer amorphen grauen Masse gefüllt.

Es gab noch mehr bewaffnete Soldaten. Seine Soldaten waren in der Nachbarprovinz eingezogen worden. Sie haßten dieses Volk, und er wußte, daß sie auf seinen Befehl hin ein erbarmungsloses Blutbad unter der Menge anrichten würden, voller soldatischer Einsatzfreude und mit dem Enthusiasmus, der sich einstellt, wenn die Pflichterfüllung mit der eigenen Überzeugung im Einklang steht. Die Priester wußten das ebenfalls, und die Menge spürte es mit dem Instinkt früher gemachter kollektiver Erfahrungen. Als er auf dem Balkon stand, kam Ardo auf ihn zu, verbeugte sich vor ihm und sagte so, daß er seine Worte deutlich hörte:

»Die Priester wiegeln die Menge auf. Es kann zu Ausschreitungen kommen, Proktor. Wir sind darauf vorbereitet und keiner wird hier lebenden Leibes davonkommen.«

»Handle nicht ohne meinen persönlichen Befehl!« Er legte die Hand auf Ardos Arm und trat dann auf das Podest hinunter. Er setzte sich, nunmehr schon von acht Soldaten umgeben, auf den Sessel. Vier waren schon vorher hier gestanden, und er bemerkte den Schweiß, der ihnen vom Gesicht troff. Die übrigen vier waren erst aus dem Schatten getreten, und das merkte man ebenfalls.

Admis stand knapp vor der Plattform, aber der Proktor sah nicht zu ihm hin, sondern in die Menge. Er hob die Hand und die Massen wurden wie immer still.

»Ihr seid mit diesem Manne zu mir gekommen«, hob er an und kämpfte mit Macht gegen die Trockenheit in seiner Kehle an, »und habt erklärt, daß er sozusagen das Volk aufgewiegelt hätte. Ich habe ihn verhört und festgestellt, daß eure Anklagen falsch sind.« In der Menge wurden Protestrufe laut.

»Wie der Herrscher Gatiens«, Proktor hob die Stimme, »fand ich keine Schuld in ihm, und deswegen ist dieser Mensch wieder hier. Er wird also ausgepeitscht und dann freigelassen.«

Das Geschrei der Menge wurde von den Hofmauern zurückgeworfen und kehrte verstärkt als Echo zurück. Die Soldaten schritten stampfend einen Schritt nach vorne, und er hörte das Klirren der Waffen. Die Menge wurde ruhiger und starrte die Soldaten an. Ardo ging zu den Soldaten hinunter und auf seinen Befehl trat ein speziell ausgebildeter Soldat vor die Reihe. Er hob den Strick auf und führte Admis zur Wand, wo in den Hofplatten einige ein Meter hohe Steinpfeiler eingelassen waren. An jedem von ihnen waren zwei eiserne Ringe angebracht. Der Soldat packte Admis am Gewand, ergriff ihn am Nacken und drückte ihn so, daß er sich beugte. Dann band er seine Handgelenke mit dem Strick fest und befestigte sie sodann an den Eisenringen des Pfeilers. Ein anderer, vorher von Ardo in die Kaserne gesandter Soldat brachte von dort ein Flagellum, einen kurzen Holzknüppel, an dem lange Riemen mit eisernen Kettengliedern am Ende befestigt waren. Der Soldat überprüfte noch einmal die Fesseln des Verurteilten, sah ihm ins Gesicht und machte zwei Schritte nach hinten. Er stellte sich mit gespreizten Beinen hin, holte aus und versetzte ihm den ersten Schlag. Der Proktor hörte das Zischen der Riemen, ihr dumpfes Aufklatschen auf der Haut und das Stöhnen des Mannes. Er sah nicht in den Hof hinunter. Er sah zu den Wolken auf, über die Mauer, und hörte doch die nächsten Schläge. Er zählte sie nicht. Es waren viele, doch plötzlich hörten sie auf. Ardo war es, der pflichtgemäß das Auspeitschen aus Sorge unterbrach, der Gefangene könne es nicht überstehen. Er schickte den Soldaten mit dem Flagellum fort, und der, der es aus der Kaserne geholt hatte, löste die Hände Admis'.

Jetzt blickte der Proktor zu ihm hin.

Admis stürzte zu Boden und blieb regungslos beim Pfeiler liegen. Er lag dort in der Sonne, und die Menge wartete schweigend. Einer der Soldaten brachte Wasser und damit wurde der Gefangene übergossen. Admis öffnete die Augen und regte sich. Der Pöbel schrie lauthals. Zwei Soldaten hoben Admis auf, kleideten ihn an und führten den Wankenden zu dem Podest, auf dem der Proktor saß. Dieser erkannte Admis nicht aus der Nähe. Die Haare fielen ihm ins Gesicht, und die Züge waren verzerrt. Die Kleidung wurde unten langsam vom Blut durchtränkt. Adam erhob sich in dem Bewußtsein, daß sich für den Statthalter des Imperators Mitleid nicht gezieme. Die Massen wurden still. Er stieg vom Podest und näherte sich Admis. Dieser wankte plötzlich, als der ihn stützende Soldat zwei Schritt nach hinten tat, um den Proktor Platz zu machen. Der Proktor ergriff Admis bei der Hand und bemerkte, daß dieser am ganzen Leibe zitterte.

Er sah ihm ins Gesicht und sagte leise:

»Ich werde dich freilassen. Es ist genug.«

»Ich muß sterben, Adam«, nur mit Mühe verstand er diese Worte, denn so undeutlich flüsterte sie Admis. Dann erst wurde ihm klar, daß Admis seinen Entschluß nicht ändern würde. Er fühlte Schmerz, Unwillen über sich selbst und Zorn, den der von ihm getragene Körper erzeugte.

»Ecce homo«, schrie er Admis ins Gesicht, laut genug, daß es die Menge hören konnte und wieder in wildes Geschrei ausbrach.

Der Proktor ließ die Hand des Gefangenen los.

»Führt ihn in meine Räume«, sagte er und ging, ohne sich umzusehen, die Stiegen zum Balkon hinauf und dann in die Kammer. Als die Soldaten Admis hereinführten, ging er die Wände entlang auf und ab. Admis zitterte vom Schock der Schläge noch am ganzen Körper und hielt sich nur mühsam auf den Beinen.

Der Proktor schickte die Soldaten weg und geleitete Admis zur Liege.

»Nimm Platz«, sagte er, »du willst also doch sterben. Ist das das einzige, wonach du dich sehnst?«

»Ja, Adam.« Die Stimme Admis' wurde leise.

»Warum? Ein einziges Wort von dir und dieser schreiende Pöbel hört zu existieren auf. Diese verfluchte Stadt wird zu Staub zerblasen.«

»Die Vernichtung des Lebens ist der leichteste Beweis der Macht über Leben und Tod.« Adam mußte sich über Admis beugen, um ihn zu verstehen.

»Ich werde sterben, Adam, und nicht mehr sein, denn das ist mein ... ist unser Entschluß.«

»Willst du für sie sterben? Hörst du ihr Geschrei? Für die Gebilde der Evolution dieses Planeten, Gebilde, deren Bewußtsein bloß ein winziger Keim aus der mächtigen tierischen Wurzel ist, der sie entsprossen sind, und denen es dünkt, daß sie uns ähnlich sind, obwohl sich diese Ähnlichkeit so verhält wie die einer Kerze zur Sonne.«

»Stimmt, Adam. Die Photonen einer Kerze und der Sonne sind die gleichen, obwohl man eine Kerze mit der Sonne entzünden kann, und nicht umgekehrt. Doch von der Kerzenflamme kann man über die Glut des Lichtbogens und die Kernfusion der Zündung der Sterne sich nähern.«

»Also ich habe nicht recht, sondern erst nach dir?«

»Wir haben beide recht, Adam, bloß weißt du es, und ich erkenne es. Wir haben hier einfach verschieden gelebt. Das ist alles.«

»Es geschehe, wie du willst«, sagte Adam, »aber nicht von mir wirst du dem Tode überliefert.« Er ging in die Mitte des Raumes und rief nach den Wachen.

»Führt den Gefangenen hinaus!« sagte er zu den Soldaten, und nachdem sie sich mit Admis entfernt hatten, wartete er eine Weile, trank einen Becher Wein und trat auf den Balkon hinaus. Dort empfing ihn ein neuer Ausbruch der Massen.

»Auf den Querbalken mit ihm!« Er hörte Schreie. »Den Tod für ihn, den Tod für ihn!« Langsam ging er vom Balkon hinunter und setzte sich auf den Sessel.

»Hol eine Schüssel Wasser«, sagte er zu einem Soldaten der Wache. Er schwieg und wartete auf seine Rückkehr, und die Massen beruhigten sich ebenfalls. Der Soldat erschien mit der Schüssel und stand unschlüssig da, ohne zu wissen, was er mit ihr anfangen solle, noch wozu ihm der Proktor befohlen hatte, sie zu bringen.

Der Proktor zeigte auf eine Stelle neben dem Stuhl und dort setzte der Soldat die Schüssel ab.

Der Proktor erhob sich und das Geschrei der Menge verstummte.

»Nehmt ihn hin und tötet ihn«, sagte er, »aber ich trage keine Schuld am Blut dieses Gerechten.« Bei diesen Worten verneigte er sich, tauchte beide Hände ins Wasser und fiel damit aus der Rolle, denn kein Statthalter des Imperators hätte ein Symbol eines ihm fremden Volkes aus einer unbedeutenden fernen Provinz verwendet. Die Menge begriff ihn jedoch, denn diese Symbolik hatte für sie eine jahrhundertealte Tradition, und er tat damit einen Aufschrei, den ihm die Überlieferung diktierte. Der Proktor erhob sich und kehrte, ohne Admis noch einen weiteren Blick zu schenken, in den Palast zurück. Er ging durch den Gang in seine Kammer, verschloß sie und betrat in einem schwachen Transfer den Raum über der Stadt. Er streifte über die Mauer bis hin zu einem kleinen kahlen Hügel in Form eines Schädels, wo drei hohe Zedernpfähle eingeschlagen worden waren, mit einem Einschnitt an der Stelle, wo die Querbalken eingelassen wurden. Auf dem Hügel war es leer und ruhig. Weit hinter dem Tal hörte er den fernen Klang der Pfeife eines Hirten, der damit seinen Schafen rief, die diesen Klang unter den Klängen der Pfeifen der anderen Hirten heraushörten und dem eigenen nachgingen.

Er sah zu dem Zedernpfahl in der Mitte hin, der in die Geschichte eingehen würde, an diesem Tag vor einem hellen, klaren, wolkenlosen Himmel, und dann blickte er zur Stadt hin. Der zum Berg führende Weg war leer. Über ihn würde bald die Menge ziehen. Zunächst die Fußsoldaten unter Leitung des Zenturios in Reih und Glied, mit Schilden und Helmen, von denen die Sonnenstrahlen zurückgeworfen würden, mit zum Himmel gerichteten Lanzen und Staub unter den Sandalen. Sie würden den Weg an diesem wolkenlosen Nachmittag abriegeln. Hinter ihnen würde Admis folgen, umgeben von Wachen, von denen die ersten die Tafel mit dem Schuldspruch, die dann auf dem Zedernpfahl befestigt werden würde, tragen würden. Admis würde den Querbalken tragen, der mit einem dicken Strick an seinen Armen festgemacht wäre, und er würde unter seiner Last zusammenbrechen. Und hinter ihnen, zankend und schreiend, würde die Priesterschar einhergehen, die Tempelwachen und die gemeinen, sensationslüsternen Gaffer. Und eine Volksbelustigung lieferte auf diesem Planeten der Tod eines Menschen immer, bei dem die Gaffer selbst keine Gefahr liefen. Und noch später würde Admis, schon von oben, auf die weißen Stadtmauern schauen, wenn die Sonne noch nach Westen wandern würde und er im Sterben lag. Er würde sterben, über die Köpfe der auf seinen Tod wartenden Massen und die Soldaten hinwegsehend, die die Rückkehr in die Kasernen ersehnten, wo es Schatten und Ruhe gab und den mit Wasser verdünnten Soldatenwein. Er würde sterben und für ihn, den Menschen, würde die Zeit abgelaufen sein.

Adam schaute noch einmal über die Mauern und die Hausdächer dahinter hin, die Kuppel des Tempels und die Palastterrassen, und versank in der Zeit.

Die Sonne verschwand, und in der grauen Dämmerung des Zeittransfers in die Zukunft erblickte er die noch nicht geborenen Soldaten des Imperiums, die sich abteilungsweise der Stadt näherten, Wälle um sie aufwarfen, und dann sah er Rauch und Ruinen, den roten Schimmer der nächtlichen Feuersbrünste, und es kam ihm vor, als hörte er das Schreien der verbrannten und hingemetzelten Stadtbewohner. Er beschleunigte den Transfer und bemerkte andere Fahnen, Ritter in voller Rüstung, und dann sah er nichts mehr, weil der Transfer zu schnell erfolgte. Ohne den Transfer zu unterbrechen, eilte er im Raum noch zum

Meeresufer, und als er die Stadt verließ, kam es ihm vor, als höre er noch das Geheul der Düsentriebwerke von Maschinen, die über ihn hinwegflogen.

Er stoppte den Transfer und landete am Ufer. Er sah sich um. Alles war leer, und nur die Wellen brandeten gegen den schmalen Streifen Sandes unter seinen Füßen. Die Sonne stand hoch, war aber rot, und das Wasser in diesem Licht schwärzlich. Er ging auf dem Strand näher zum Wasser hin, sah seine Füße und den Sand. Unter den Sandkörnern bemerkte er andere, zahlreiche, verschiedenfarbige Körner, die etwas gröber als der Sand waren und wußte, daß sie kein Sand waren. In einer Höhe von Dutzenden Metern überflog ihn geräuschlos wie eine Fledermaus eine Flugmaschine von bizarren nichtaerodynamischen Formen, an deren Rändern sich das Sonnenlicht in alle Farben des Regenbogens aufspaltete. Im Gesicht spürte er einen leichten Windhauch, mußte aber zugleich, ihren Flug verfolgend, die Füße fest in den Sand stemmen, um nicht das Gleichgewicht zu verlieren, denn der Boden schlitterte seitlich davon. Sie flog so schnell, daß sie im Nu in der Ferne zu einem fast unsichtbaren Punkt über der Wasser- und Strandlinie geworden war, von dem Hintergrund weißer, keineswegs zufälliger, formschöner und symmetrischer Wolken, die vom Meer her in Scharen übers Land zogen.

Er wußte, daß er sich in einer Zeit befand, in der schon Tausende von Jahren seit Admis' Tod verflossen waren, und obwohl dem Planeten noch die gleiche Sonne leuchtete, war er schon anders. Er dachte daran, daß es vielleicht nach Tausenden von Jahren genauso sein mochte, auch wenn alles anders abgelaufen wäre, doch das wußte er nicht mit Bestimmtheit, denn wo es die Zeit gab, gab es auch den in der Überzeitlichkeit unbekannten Zufall. Dieser füllte mit seinem Stoff die Umrisse der Überzeitlichkeit aus und ballte sich zusammen wie Nebel an einem heiteren Sommermorgen, von dem man weiß, daß er sich als Rauhreif niederschlagen wird. Doch welch sonderbare, flüchtige Formen er bilden würde, bevor er sich niederschlug, war unvorhersehbar und letztlich belanglos.

Er formte jetzt diesen Nebel, erkannte die Zeit und war die Zeitwelle, die die Objekte der Realität wie eine Welle zusammentrug, die vom Meer herkommt und den Sandkörnern eine Ordnung gibt. Diese bleiben unverändert, bis eine neue Welle kommt, aber diese Welle ist schon eine andere Zeitwelle und bildet andere Wirklichkeiten aus und verändert das Körnersystem entlang des ganzen Strandes der Welt.

Er konnte das nicht vollständig zu Ende denken, denn er begriff mittels einer von der Evolution dieses Planeten entwickelten Spezialeinrichtung, weil ihm das aus der Überzeitlichkeit nicht bekannt war. Dieser Informationstransformator, den er mit dem Körper und allen seinen übrigen Einrichtungen übernommen hatte, ordnete alles in ursächlichen Abfolgen und auf diese Weise nahm er die Zeit wahr und schuf so die Illusion einer endgültigen Wirklichkeit und nicht bloß einer Fluktuation der Überzeitlichkeit, deren Erkenntnis von Grund auf unmöglich und sinnlos war, einem Versuch vergleichbar, die Lage der Elektronen im Atom eindeutig festzustellen.

So gesehen ähnelte das ganze Experiment dem Bau von Luftschlössern, wobei er dieses Schloß anders als Admis bauen wollte.

Doch hier an diesem Ort fühlte er die Überzeitlichkeit nicht, und in der Zeit war alles wirklich. Admis hatte Tausende von Jahren früher gewollt und war gestorben. Und das war die Form des Schlosses, der er zugestimmt hatte. Admis war gestorben, würde nur deswegen sterben, damit das Nebelschloß in den von der Zeit nicht zu verändernden Merkmalen der Überzeitlichkeit etwas anders aussähe. Aus der Perspektive der Überzeitlichkeit war es ein Unsinn, ein grausames Experiment der Zeit an einem Objekt aus der Überzeitlichkeit. Und er hatte darin eingewilligt, als kenne er die Überzeitlichkeit nicht. Er war ein von der Zeit betörter Mensch. Er ließ den Transfer zusammenfallen, löste mit einer Handbewegung die Blockierung und befand sich wieder im Flur des Palastes.

»Schnell, hole den Kommandanten!« rief er dem ersten Wachsoldaten zu, den er sah. Der Soldat bemerkte etwas in seinem Gesicht, als er den Gang entlang lief, vor Eile fast ausgleitend, und Adam folgte ihm so schnell, daß er beinahe lief. An der Biegung des Gangs stieß er mit Ardo zusammen, der schon angelaufen kam.

»Setzt die Hinrichtung aus«, rief er, ohne den vorschriftsmäßigen Gruß Ardos zu erwidern.

»Sie befinden sich bereits an der Hinrichtungsstätte, Proktor.«

»Beeile dich also!«

»Es muß ein schriftlicher Befehl vorliegen, Herr.«

»Geh allein! Die Soldaten werden auf dich hören.«

»Aber nicht die Massen.«

»Nimm zwei Hundertschaften und töte jeden, der Widerstand leistet!«

»Proktor, es liegt ein gerichtliches Urteil vor. Der Imperator . . .«

»Die Erde möge ihn verschlingen!«

»Das habe ich nicht gehört, Herr. Was ist los mit Euch?« fragte er mit einer schon ganz anderen Stimme.

»Laß den Gefangenen frei, auf der Stelle! Los!«

»Das ist gegen das Gesetz.«

»Ich befehle hier!«

»Jawohl, Herr. Doch wenn sie darüber beim Imperator Beschwerde führen, wird man uns beide hinrichten.«

»Du führst lediglich Befehle aus«, erwiderte er, schon ruhig geworden, denn er verstand, daß ihm Ardo zum ersten Male nicht gehorchen könnte.

»Der Imperator darf das nicht einmal berücksichtigen,

wenn er mich verurteilt. Warum wollt Ihr den Gefangenen freilassen, Proktor? Ist er vielleicht Euer Sohn, Herr?« fügte er leise hinzu.

»Führe den Befehl aus, Ardo!«

»Ja, Proktor. Ich werde ihn ausführen. Doch glaubt mir, ich werde ihn ausführen, weil ich Euch achte. Ihr erteilt ihn und nicht der Statthalter des Imperators.«

»Beeile dich, Ardo! Beeile dich, solange noch niemand ums Leben gekommen ist.«

»Jawohl.« Ardo wandte sich um und lief in Richtung Hof.

Er wollte sich im schwachen Transfer auf diesen Hügel versetzen und Admis mit dem Kraftfeld abschirmen, bis Ardo eintraf. Er lief in seine Kammer, als ihm Visa in den Weg trat. Sie kam hinter den Säulen hervor direkt auf ihn zu, so daß er mit ihr zusammenstieß. Sie trug ein langes weißes Kleid, ein anderes als dasjenige, das sie meistens trug und das er gewohnt war.

»Geh mir aus dem Weg!« sagte er.

»Nein, Herr!« Sie packte ihn am Gewand und blickte ihm direkt ins Gesicht. »Ihr habt Admis umgebracht.«

»Er lebt, und du sollst mir aus dem Weg gehen! Laß mich durch, solange noch nichts passiert ist!«

»Nichts? Und Kario? Ihn habt Ihr auch umgebracht!« Er blieb stehen und sah sie an.

»Ja, Kario ist tot«, sagte er leise.

Unten im Hof erklangen die Trompeten, die die Soldaten aufriefen, Aufstellung zu nehmen.

»Ihr habt ihn getäuscht und umgebracht. Er hat es mir gesagt. Genauso, wie Ihr Admis umgebracht habt.«

»Das ist nicht wahr.«

»Ihr lügt. Ihr habt ihn umgebracht. Jetzt sterbt«, schrie sie plötzlich, riß ein in den Kleiderfalten verstecktes Messer hervor und holte zum Stoß aus.

Er wich ihr nicht aus, aber sie war nicht imstande, zuzustoßen. Von einem Stoß von hinten nach vorne geworfen, wankte sie, ging in die Knie und fiel schließlich aufs Gesicht. Eine von einem der Soldaten geschleuderte Lanze steckte in ihrem Rücken, und als Visa schon auf dem Boden lag, sank die Lanze noch tiefer und erweiterte die Wunde. Sie steckte bereits zu tief im Körper, als daß sie aus der Wunde hätte herausfallen können, sie blieb darin stecken und bildete mit dem Fußboden einen spitzen Winkel. Rund um die Lanzenspitze breitete sich ein großer Blutfleck aus.

Der Soldat, der die Lanze geworfen hatte, war schon bei Visa, riß die Waffe aus der Wunde heraus und stellte sich, zum zweiten Stoß bereit, hin.

»Nein«, hielt ihn Adam zurück.

Der Soldat zögerte.

»Sie wollte Euch umbringen, Proktor«, sagte er.

»Laß es!« Und er kniete vor Visa nieder. Sie lebte noch.

»Ich wollte nicht, daß er getötet wird, Visa«, sagte er. Sie blickte ihn an. Auf ihren Lippen zeigte sich Blut.

»Er ist für Admis gestorben. Und du hast doch an Admis geglaubt. Kario war der erste seiner Jünger, der ums Leben gekommen ist. Es mußte geschehen, Visa, glaube mir. Noch viele werden sterben. Für diese deine Hoffnung, und sie wird überdauern. Ich schwöre es dir, Visa.«

Er ergriff ihre Hand. Sie bewegte sich. Eine Blutspur zog sich jetzt von ihrer Wange bis auf den Boden. Sie wollte den Kopf heben, konnte es aber nicht mehr. Sie blickte Adam noch eine Weile an, und er nahm den Augenblick wahr, als ihre Augen brachen. Er wollte sich über sie neigen und ihr das Haar küssen, aber das war bloß ein flüchtiger Einfall, der schnell verging.

Er blickte zu dem Soldaten hin, der die Lanze noch immer stoßbereit hielt.

»Überflüssig«, sagte er, »überflüssig ...« Auf dem Hof bliesen die Trompeten zum Abmarsch.

»Hol den Kommandanten! Lauf!« sagte er zu dem Soldaten. »Und gib mir die Lanze!«

Der Soldat kam gelaufen, und Adam legte die Lanze vorsichtig neben den Körper Visas.

»Ja, Visa«, sagte er noch. »Du warst die zweite, und es bleibt keine Wahl mehr.« Er wußte es. Er war noch über Visa gebeugt, als Ardo herbeigeeilt kam.

»Laß die Soldaten wegtreten!« sagte er zu Ardo.

»Den Göttern sei Dank, Proktor. Ich danke Euch dafür, daß Ihr es tut.«

»Du dankst mir?«

»Ich glaubte schon, daß ich weder je wieder die Hauptstadt noch den kommenden Frühling erleben würde ... Gleich gebe ich die Befehle. Und diese Sklavin?« Er wollte den Kopf Visas mit der Sandalenspitze berühren.

»Rühr sie nicht an!« sagte Adam.

»Wollte sie Euch töten?« fragte der Soldat.

»Das wollte sie.«

»Fort mit dem Kadaver!« rief Ardo.

»Du wirst sie im Felsengrab beisetzen und den Eingang sichern.«

»Proktor, sie ist doch nur eine Sklavin. Sie wollte Euch umbringen. Die Hunde und die Geier mögen sie begraben.«

»Du tust wie befohlen!«

»Zu Befehl, Proktor.«

»Sie war eine gute, eine hervorragende Frau ...«

»Jawohl, Proktor.«

»Wirklich, Ardo. Und achte mich weiterhin, obwohl dir das alles sonderbar und dumm erscheinen mag.«

»Aber keineswegs, Proktor.«

»Das ist übrigens im Augenblick bedeutungslos ... Was geschehen mußte, geschieht bereits.«

»Darf ich etwas fragen, Proktor?«

»Nur zu!«

»Soll der Soldat bestraft – oder belohnt werden. Er hat Euch das Leben gerettet, Herr.«

»Sinnlos ...«

»Wie, Herr?«

»Mach, was du für richtig hältst!«

»Soll ich ihn belohnen?«

»Gut. Schließlich hat er nichts getan, was ich nicht auch getan habe.«

»Ich verstehe nicht, Herr.«

»Die Wachen sollen die Leiche der Frau nehmen und die Frauen sollen ihr das Blut abwaschen und reine Kleidung anziehen. Sag ihnen, daß der Befehl von mir ist.« Er drehte sich um und ging fort, und dann hörte er in seiner Kammer das Trompetensignal, das das Ausrücken der Soldaten abblies. Er mußte daran denken, daß Admis bald sterben würde. Dann dachte er an die Stadt . . .

XIII. Kapitel

Der hereingebrochene Morgen ging in der Stadt langsam in die Mittagszeit über. Der vom Berg Hasziro wehende Wind verjagte die weißen Kumuluswolken vom Himmel, und über der Stadt hing jetzt lediglich eine einzige weiße Wolke wie eine fest geballte Faust. Die Sirenen verstummten und verkündeten damit das Ende des Bombenalarms, die Menschen verließen die Luftschutzkeller, der zum Erliegen gekommene Verkehr setzte wieder ein und aus der vom Sirenengeheul in Atem gehaltenen Stadt wurde wieder eine ganz gewöhnliche Stadt.

Rot blühte der Oleander, rot die Mitra und blutigrot die Kanna. Rings um die Stadt wurde der Rasen auf den Hügeln Kawabiras gemäht. Vom Berg im Südwesten aus konnte man in Richtung Stadt aus drei Kilometern Entfernung den Stadtteil Urakami mit seinen Häusern und der Kathedrale sehen.

Der Augenzeuge T.* legte die Sichel beiseite, mit der er den Rasen in der Nähe der Mauer seines Hauses mähte und richtete sich auf. Hoch oben flog ein einsames Flugzeug. Er blickte zum Himmel auf, bis er eine kleine silberne Nadel in einer Höhe von etwa achttausend Metern, knapp über der Wolke, wahrnahm. Bei der Betrachtung des Flugzeuges bemerkt er, daß sich ein schwarzer, in die Tiefe fallender Punkt löst. T. weiß, daß es sich um eine Bombe handelt. Er schaut noch eine Weile hinauf und wirft sich dann zu

* Nach dem Bericht von T. Nägai, der die Kernexplosion überlebte.

Boden. Es vergehen Sekunden, zehn Sekunden. Plötzlich wird alles um ihn schrecklich grell. Ein Blitzschlag von unvergleichlicher Intensität erhellt den Himmel. Im Vergleich dazu wirkt das Sonnenlicht trübe und gelblich. Der Lichtschein erlischt langsam, und es tritt völlige Stille ein. T. steht auf und sieht über den Graben nach Urakami hinüber. Dort, wo die Kathedrale war, befindet sich nun ein mehrfach so großer Pilzstengel, der nach oben wächst und sich verbreitert. Von dieser Wolke aus fährt ein Hurrikan zu ihm hin. Er sieht, wie die Häuser eines nach dem anderen, immer näher kommend, in sich zusammenfallen und die Bäume geknickt werden. Der Orkan erreicht den Wald etwas unterhalb der Stelle, wo er sich befindet, und der Wald hört zu existieren auf. T. wird zu Boden geschleudert und drückt das Gesicht in das Gras. Er hört noch einen gewaltigen Knall; er selbst schlägt, vom Boden in die Luft geschleudert, gegen eine Mauer. Er spürt nichts mehr.

Als er das Bewußtsein wiedererlangt und die Augen öffnet, gibt es rings um ihn kein Gras mehr, bloß blätterlose Bäume. Die Luft, die er einatmet, riecht intensiv nach Harz.

Der Augenzeuge A., Lehrer einer Volksschule in Kugakure, acht Kilometer von der Stadt entfernt, stand beim Fenster seiner Klasse und sah zwischen den Hügeln zur Stadt hinunter. Plötzlich erhellt ein Blitz den Himmel über der Stadt. Über Urakami erscheint eine Rauchsäule und wächst sich zu einem Pilz mit einem Durchmesser von einem Kilometer aus. Nach einer Sekunde kommt die Druckwelle, läßt die Häuser erzittern und zerbricht alle Fenster, so daß der ganze Saal voller Scherben ist.

Der Augenzeuge K. arbeitet auf einem Feld. Der vor ihm trottende Büffel verjagte mit seinem Schwanz die Fliegen, und die Erde duftete. Oben sah er die Spitze des Hasziro. Acht Kilometer von seinen Hängen entfernt in der Richtung, in die sein Schatten fiel, sah er den nebelverhangenen Hafen und dahinter die Stadt. Hinter dem Büffel gehend bemerkte er im Gras Erdbeeren. Er pflückte sie und bemerkte in dem Moment den Blitz. Der Büffel zerrte und wandte den Kopf ab.

Über Urakami wuchs die weiße Dunstwolke empor, in derem Inneren die in allen Farben des Regenbogens aufleuchtende Glut entflammte. Die Dunstwolke nahm Pilzform an und wuchs immer weiter. Von unten saugte sie jetzt schwarzen Staub ein, der einen immer größer werdenden düsteren Wirbel bildete. Die Wolke breitete sich aus und verzog sich in Richtung Osten, und der Wirbel befand sich schließlich schon über den Bergspitzen. Dann zerfiel der Wirbel. Ein Teil fiel zu Boden und das übrige verschwand hinter den Wolken. In der Sonne erblickte er einen schwarzen Schatten über der Stadt. Die Druckwelle kam. Die Blätter fielen von den Bäumen, und er spürte, wie die Kleidung im heftigen Wind an seinem Körper klebte. Der Wind legte sich und wieder herrschte Stille. Der Büffel zerrte ihn nach vorne.

Der Augenzeuge N., ein Arzt, weilte in der Stadt selbst, einige hundert Meter vom Explosionskern entfernt. Im Betongebäude des Instituts für klinische Medizin an der Universität wird ein Vortrag mit erläuternden Röntgenaufnahmen vorbereitet. Über den Fotos sieht er den Blitzstrahl an der Wand, ähnlich der Explosion blendenden Magnesiums, und er spürt, wie das ganze Gebäude erschüttert wird. Die Fenster werden in der Mitte eingedrückt und er wird vom Boden gerissen. Er sieht einen Regen von Glassplittern, die wie glänzende Blätter fallen. Sie zerschneiden ihm die Lider und den Hals. Er spürt das Blut, aber keinen Schmerz. Betten, Schränke, Stühle, alles im Zimmer fliegt durch die Luft, fällt dann wieder zu Boden, und er wird umgeworfen. Er erstickt fast am Staub. Er sieht das Fenster und dahinter die Finsternis. Im Gebäude heult der Wind wie während eines Taifuns, Kleider, Blechstücke und Holzspäne werden mitgerissen. Dann wird es so dunkel, daß im

Zimmer nichts zu sehen ist. Er liegt unter den Trümmern der Einrichtung, ohne sich rühren zu können. Draußen explodiert das Feuer und durch das Fenster sieht er die blendende Glut der Feuersbrunst. Er verliert das Bewußtsein.

Der Augenzeuge S., ein Physiker, grub zusammen mit den Studenten hinter dem Pharmazeutischen Institut der Universität einen Luftschutzkeller, vierhundert Meter vom Explosionsort entfernt. Er befand sich im Inneren des Bunkers und war damit beschäftigt, den Bunker zu vertiefen. Die Studenten schleppten die Erde hinaus. Einer von ihnen stand im Eingang und wartete auf den nächsten Korb Erde, während er gebückt weitergrub.

Das Licht blendet ihn. Er hört einen Knall. Der im Eingang stehende Student fällt ihm auf den Rücken. Durch den Eingang werden Holzstücke, Kleiderfetzen, zerbrochene Dachziegel in den Bunker geschleudert. Ein schwerer Balken trifft ihn ins Genick, und er verliert das Bewußtsein. Als er wieder zu sich kommt, ist der Bunker voller Rauch und ringsum steht alles in Flammen. Rauschend schlagen die aufeinanderfolgenden Stoßwellen der erhitzten Luft gegen den Bunker. Er steht auf und sieht nach draußen, den Spaten in der Hand. Die Holzbauten des Pharmazeutischen Instituts sind verschwunden. Es gibt weder den Zaun noch die Häuser, die außerhalb des Zaunes standen; keinen der noch vor kurzem rauchenden Fabriksschornsteine. Der vor kurzem noch grüne Berg Inso ist jetzt nur noch ein kahler roter Felsen. Ringsum gibt es keine Blätter und kein Gras. Auf dem Boden liegen entwurzelte kahle Bäume und nackte Körper. Er bückt sich und hebt den nächstliegenden auf. Unter seinen Fingern löst sich in großen Fetzen die Haut vom Körper. Der nächste stöhnt. Er tritt an ihn heran und sieht, daß sich am ganzen Körper die Haut abgelöst hat. Er lebt noch und erkennt ihn: »Professor, Professor ...« – und stirbt. Der nächste Student hat ein aufgedunsenes Gesicht und ist stellenweise ohne Haut. Er sieht noch, aber seine

Augen sind nur bloße Schlitze zwischen geschwollenen Lidern.

»Sie haben mich erwischt, Professor. Das ist wohl das Ende.« Dann stirbt auch er.

Er untersucht die anderen Studenten. Aus den Ohren und Nasen der Liegenden sickert das Blut. Manchen quillt blutvermischter Schaum aus dem Mund.

Es geschah am neunten August, zwei Minuten nach elf. Die Explosion erfolgte in einer Höhe von fünfhundertfünfzig Metern über der Stadt. Die vom Explosionszentrum ausgehende Druckwelle, die eine Anfangsgeschwindigkeit von zweitausend Meter pro Sekunde hatte, zerstörte alles und anschließend saugte das am Explosionsort entstandene Vakuum das nach der Druckwelle Stehengebliebene ein, riß es Hunderte von Metern in die Höhe und verursachte eine Finsternis, intensiver als bei einer Sonnenfinsternis. Nach einigen Minuten fielen größere Trümmer nieder. Die durch die Explosion hervorgerufene Temperatur von nahezu neuntausend Grad außerhalb des Zerstörungsradius' der direkten Wirkung verursachte die Feuersbrunst.

Während der Explosion kamen etwa dreißigtausend Einwohner der Stadt ums Leben, über hunderttausend wurden verletzt und Zehntausende erkrankten noch nach vielen Jahren und starben an der Strahlung.

Auf diese Weise wurde die Stadt von einer Bombe, ›Pikadon‹ genannt, zerstört, die, gemessen an der Größenordnung der Bomben der nächsten Generation, so klein war, daß sie im Fehlerbereich der Schätzungen der Kernwaffenarsenale vernachlässigt werden konnte.

Von oben, vom Flugzeug aus, ergab die Explosion ein ganz anderes Bild. Als die Bombe das Flugzeug verließ, heulten die Motoren unter voller Last auf, und das Flugzeug strebte mit Höchstgeschwindigkeit aus dem Explosionsbereich. Die Besatzung beobachtete den Boden auftragsgemäß durch ein dunkles Glas, durch das man die Stadt irgendwo unten als grauen homogenen Hintergrund ausmachen konnte. In der Beobachterstation surrte die Filmkamera. Sekunden vergingen, und die Besatzung wartete auf Gefechtsstation.

»Etwas lange ...«, begann der Captain, und da leuchtete es auch schon auf. Durch die Gläser war deutlich der Explosionsherd zu sehen, zunächst als Punkt, dann als sich ausdehnende Kugel, die hinter der Explosionswolke verschwand.

»Sie ist, sie ist im Ziel«, rief der Bombenschütze und sprang aus seinem Sitz auf.

»Hurrá!« In den Kopfhörern war die Stimme des Heckschützen zu vernehmen.

»Sende diese Meldung zum Stützpunkt«, sagte der Captain zum Funker, »sie warten auf Nachricht.«

»Denen haben wir es aber gegeben«, rief der Bombenschütze in den Kopfhörern.

Der Funker piepste durch das Prasseln und Knacken des starken Hintergrundrauschens.

Schließlich meldete sich der Stützpunkt.

»Auftrag durchgeführt«, sagte der Funker im Klartext.

»Wir gratulieren, Jungs«, bestätigte der Stützpunkt den Empfang.

»Dort muß es aber heiß sein.« Der Beobachter blickte wieder hinunter, aber ohne Gläser.

Unten wuchs, vor dem Horizont der zurückbleibenden, aus dieser Höhe deutlich sichtbaren Hügeln noch eine weiße Wolke in die Höhe, vielleicht etwas kleiner und tiefer als die, die bei der Explosion der Bombe entstanden war.

»Na, jetzt haben sie die Bescherung«, sagte der Hauptmann, »das ist für unsere Jungs.«

»Bloß haben es nicht dieselben abbekommen«, fügte der Co-Pilot hinzu.

»Was macht das schon für einen Unterschied, Junge. Feind ist Feind. Wenn ihre Eierköpfe besser gewesen wären, dann hätte es unsere Städte erwischt, und sie hätten sich nicht den Kopf zerbrochen.«

»Jetzt werden wir den Krieg in ein paar Tagen gewinnen. Nicht wahr, Captain?« Der Heckschütze wollte von seiner isolierten Position aus auch an dem Gespräch teilnehmen.

»Wir hätten sowieso gewonnen«, murmelte der Co-Pilot.

»Aber wie viele Jungs hätten noch ins Gras beißen müssen. Ja, Alter. Eine solche Waffe kommt uns gerade recht. Jetzt gibt es niemandem, der gegen uns stark genug wäre. Wir werden Ruhe haben.«

»Und wenn andere dahinterkommen, dann geht alles in Trümmer.«

»Wir sind Soldaten. Dann werden wir sterben müssen. Unke übrigens nicht. Das ist unser Tag. Die Aufgabe ist erfüllt. Und welch eine Aufgabe. Jungs, wir stehen fest mit beiden Beinen in der Geschichte.«

»Und mit dem Arsch auch«, sagte der Co-Pilot.

»Halt endlich das Maul, sonst denken die Jungs noch, daß es dir um diese Japsen leid tut! Jungs, die Auszeichnungen sind euch sicher. Und noch den Enkelkindern werdet ihr etwas zu erzählen haben.«

»Wir überfliegen die Küste«, sagte der Navigator. Die Sichtbedingungen wurden schlechter, da immer mehr Kumuluswolken aufkamen. Allerdings erspähten sie durch ein Wolkenloch den Strand und die weißen, kaum sichtbaren, strichlierten Linien der Wellenkämme.

»Bald sind wir im Stützpunkt angelangt«, sagte der Bombenschütze.

»Seitdem es keine Jagdflugzeuge mehr gibt, fliegt man hier wie auf einem Ausflug.«

»Schau, alter Junge«, sagte der Flugzeugkommandant, »was steckt dort hinter dieser Wolke?« Der Co-Pilot blickte in die angegebene Richtung, und es kam ihm vor, als bemerke er eine kleine Scheibe, die im Wolkendunst verschwand.

»Dort war etwas – etwas sehr Sonderbares.«

»Nein, es muß sich um eine optische Täuschung gehandelt haben. Derartige Flugzeuge gibt es nicht. Wenn es eins der unsrigen gewesen wäre, wüßten wir darüber Bescheid. Und eins der ihrigen würde uns angreifen. Es ist uns nur so vorgekommen, war wohl eine dichtere Wolke von sonderbarer Gestalt. Habt ihr etwas gesehen, Jungs?«

»Nichts, Hauptmann«, kamen die Antworten der Reihe nach von allen Stationen.

»Ja, wir haben uns getäuscht.«

»Sie beobachten uns«, sagte einer aus der Besatzung. »Nicht nur wir wissen, daß es ein historischer Augenblick ist.«

»Blödsinn, Sergeant«, sagte der Captain. »Sie haben immer solche metaphysischen Anwandlungen.«

»Was für welche hat er, Herr Hauptmann?« fragte der Bombenschütze.

»Na ja – sonderbare.«

»Ja, hat er, hat er!« Der Bombenschütze zeigte sich einverstanden. »Aber sonst ist er ein braver Junge.«

»Unsere ganze Besatzung ist prima«, sagte der Flugzeugkommandant. »Und die Arbeit heute war auch wirklich prima.«

»Ich habe schon ein Signal vom Stützpunkt. Sie sehen uns auf dem Radarschirm«, sagte der Funker.

»Dann gehen wir runter.« Das Flugzeug durchstieß die Wolken.

»Zum Teufel. Ich habe vergessen, die Kamera auszuschalten«, sagte der Beobachter. »Der Film ist nun wohl aus.«

Ein paar Minuten später waren sie schon über der Landebahn, und der Pilot setzte die Maschine sanft auf der Betonpiste auf. Das Flugzeug rollte aus, und schon erblickten sie die vom Abfertigungsgebäude in ihre Richtung fahrenden Autos.

»Sie holen die Helden ab«, meinte der Co-Pilot.

»Ich danke euch, Jungs«, sagte der Captain und schnallte die Gurte los. »Es war wirklich ein herrlicher Flug.«

Als alles vorüber war, ging Korporal Masmo in die Kantine, wo er, wie vermutet, den Bier trinkenden Parakletos traf.

»Nun, alles vorbei«, sagte Masmo.

»Alles vorbei? Du scherzt, Masmo. Wir stehen erst am Anfang ... Bestell ein Bier, es ist heiß!«

»Ich habe keine Lust dazu. Ohne Bier fühle ich mich auch wohl. Es war wirklich ein ordentliches Stück Arbeit, Sir.«

»Solchen wie dir muß das gut gefallen.«

»Wie steht's mit deiner Gesundheit, Sir.«

»Danke. Ich kann nicht klagen.«

»Bei unserer Arbeit braucht man wirklich eine viehische Gesundheit«, stellte Masmo fest.

Um diese Zeit wurde im Fotolabor des Geheimdienstes ein Film entwickelt. Bei der zweiten Durchsicht, als der Techniker den belichteten Film abschneiden wollte, weil der Explosionspilz schon hinter dem Horizont verschwunden war, erblickte er darauf das Bild eines scheibenförmigen Objekts, das in den Wolken verschwand. Er war ein ausgezeichneter Fachmann und kannte kein Zögern. Er behielt diese paar Meter Film zurück und machte dem Chef der Abteilung des Geheimdienstes davon Mitteilung. Viele Monate lang gab es im engsten Kreis höchst geheime Debatten darüber, was die die Wolken filmende Kamera da festgehalten hatte. Schließlich setzte sich die Ansicht durch, daß es ein von der Atmosphäre abgebremster, sehr langsam fallender Meteor gewesen sein mußte. Es gab allerdings auch solche, die bis zuletzt vermuteten, es handele sich um eine neue Art von Waffen, doch sie konnten nicht einmal einen hypothetischen Erfinder dieser Waffen nennen, was ein ernsthafter Mangel dieser Erklärung war. Schließlich wanderte der Streifen in ein streng geheimes Archiv und geriet in Vergessenheit.

XIV. Kapitel

Als das Beben kam, erzitterten die Statuen in den Nischen des Raumes, und die Vasen fingen zu klirren an, und er begriff, das Admis gestorben war. Die unterirdische Erschütterung durchlief das Land, Steine fielen aus den Mauern, die Häuserwände bekamen Risse, und die den Eingang zu den Gräbern versperrenden Platten zersprangen.

Er verließ den Raum und trat auf die Steinfliesen der Terrasse hinaus. Es war still geworden und plötzlich fiel ihm auf, daß die Vögel verstummt waren. Die Soldaten versammelten sich in kleinen Gruppen auf dem Hof und blickten zur Sonne empor. Es wurde dunkler und kühler. Er sah in die Sonnenscheibe und brauchte nur leicht mit den Augen zu blinzeln, um sie in klaren Umrissen zu sehen. Sie blendete ihn nicht mehr so wie sonst immer, obwohl sie weiterhin leuchtete.

Auch der aus der Stadt dringende Lärm war verstummt. Er wußte, daß die Einwohner der Stadt voller Angst in den Himmel starrten, und so war es überall im ganzen Gebiet des Binnenmeeres.

Unaufgefordert näherte sich ihm Ardo.

»Was ist los, Herr?« fragte er.

»Er ist gestorben.«

»Wer?«

»Der, den ich verurteilt habe.«

»Ich meinte die Sonne.«

»Ich habe dir eben geantwortet.«

»Ich verstehe nicht, Herr. Die Soldaten sind etwas beunruhigt.«

»Sag ihnen, daß es vor Sonnenuntergang vorbei sein wird. Sag ihnen auch, daß im Tempel der Vorhang entzweigerissen ist. Das ist ein Hinweis auf die Schuldigen. Die Soldaten sollen sich nicht fürchten.«

»Woher wißt Ihr das vom Vorhang, Herr?«

»Ich weiß es eben.«

»Wenn es die Schuld jener ist, dann schickt Soldaten aus und laßt die Schuldigen töten. Das wird die Götter versöhnen.«

»Die Götter des Imperiums haben damit nichts zu tun, Ardo.«

»Dann wird es diejenigen besänftigen, die dafür zuständig sind.«

»Sie sind nicht erzürnt, sondern nur müde ...«

»Seid Ihr sicher, Herr?«

»Ja.«

»Was also tun?«

»Nichts. Was geschehen mußte, ist geschehen.«

»Und was soll ich den Soldaten sagen?«

»Daß es sich um eine Sonnenfinsternis handelt. Davon haben sie bestimmt schon früher gehört.«

»Der Mond befindet sich aber auf der anderen Seite des Himmels.«

»Du hast gefragt, was du sagen sollst, und nicht, was geschehen ist.«

»Ich habe verstanden, Herr«, er zögerte. »Und Ihr wißt, was geschehen ist?«

»Ich weiß es. Aber du würdest es nicht begreifen können. Auch die Priester in allen Ländern am Binnenmeer werden es nicht begreifen.«

»Es ist also überall dasselbe?«

»Ganz bestimmt im ganzen Imperium ... Und die Priester, die es verstehen würden, gibt es auf diesem Planeten nicht mehr.«

Ardo schwieg.

»Darf ich gehen, Herr?« fragte er schließlich.

»Geh! Geh zu deinen Soldaten! Sie sollen Ruhe bewahren.«

Er erinnerte sich an den alten Hohenpriester der Hauptstadt von Atlantis, der im Steuerraum des metallenen Schiffes über die Berechnungen gebeugt saß. Dieser Kreuzer wurde von den Völkern der damaligen Zeit bewundert, Homer hatte von ihm gehört und ihn verewigt, in ihm sollte Apollos Sohn Hippotas, der Liebling der unsterblichen Götter, wohnen: »Es ist eine schwimmende Insel. Ringsum ist sie von einem Wall aus Erz umgeben, undurchdringlich wie ein glatter Felsen.« Als er eintraf, hob schließlich der Greis den Kopf von den Berechnungen und blickte zu ihm auf.

»Es ist unmöglich, Parakletos. Die Naturgesetze sind unwandelbar und doch hat dieser Planetoid seine Bahn verändert und wird mit der Erde zusammenstoßen.«

»Deiner Meinung nach ist es auch nicht möglich, daß Sterne am Himmel aufleuchten, und doch wird das auch geschehen. Mehr Demut, Hoherpriester. Du hast recht, die Regeln sind festgelegt, aber sie bilden eine Pyramide so komplexer Wirkungen, daß Generationen ihre Gänge und Winkeln aushöhlen werden, ehe sie einigermaßen ihrer Erkenntnis nahekommen werden.«

»Aber es gibt keine Rettung mehr für uns.«

»Es gibt keine, Priester.«

»So viele Unschuldige werden umkommen.«

»Jetzt redest du von ihnen, wenn der Planetoid ins Ziel trifft. Früher hast du dir nicht den Kopf über sie zerbrochen.«

»Das ist das Ende der Welt, Parakletos.«

»Bloß dieser Zivilisation, Hoherpriester.«

»Nach einer solchen Katastrophe wird nichts übrigbleiben. Tempel, Archive, Forschungslabors, alles wird zerstört werden. Das Wissen wird in Vergessenheit geraten, und diejenigen, die überleben werden, werden an Hunger und Krankheiten sterben.«

»Das ist wahr, Priester.«

»Was also wird übrigbleiben?«

»Menschen, Priester. Menschen, die außerhalb dieser Zivilisation leben, die Bewohner der Kontinentalschollen.«

»Diese Barbaren.«

»Wenn es euch nicht mehr gibt, werden sie aufhören, Barbaren zu sein, denn dein Maßstab ergibt sich nur aus dem Vergleich.«

»Es wird aber eine entsetzliche Welt sein, in der man unmöglich leben kann.«

»Das ist wahr, aber es ist nur eure Wahrheit. Die Wahrheit dieser Zivilisation. Und ihr . . . weißt du, seit der Planetoid zum Geschoß geworden ist, gibt es euch nicht mehr.«

Dieser Priester würde den Mechanismus des Erlöschens der Sonnenstrahlen verstehen und nach einer Ursache und einer Erklärung suchen.

Damals hatte er auch erkannt, daß ein winziges Schwarzes Loch am Planetoiden vorbeigezogen war und ihn aus der Bahn geworfen hatte. Nun, man konnte die Aktivität Michos schließlich ein Schwarzes Loch nennen, doch änderte die Bezeichnung nichts an der Sache.

Die Dunkelheit wurde immer dichter, und von der Terrasse aus konnte er die einzelnen Hausdächer in der Stadt unterscheiden. Die Farben erloschen, und die Stadt wurde grau und tot. Er hörte Schritte hinter sich und erkannte Ardo.

Der Zenturio brachte die Meldung über den Tod des Verurteilten.

»Er starb, bevor man ihm die Knochen brechen mußte«, und als Adam noch immer nichts sagte, fügte er hinzu: »Es kam zu keinen Ausschreitungen.«

»Noch etwas?«

»Der Verurteilte rief im Sterben nach jemandem.«

»Nach?«

»Die Wachen verstanden ihn nicht. Sie behaupten, er habe nach jemandem gerufen, der ihn verlassen habe.«

»Ja.«

»Und noch etwas, Herr. Jemand bittet um eine Audienz bei Euch.«

»Du weißt, daß ich hier niemanden empfange.«

»Er sagte, es gehe um den Leichnam des Verurteilten. Ihr, Herr ...« – er stotterte – »... ich glaubte, daß Ihr ihn vielleicht zu empfangen geruhtet. Ich werde ihn gleich wegschicken.«

»Nein, die Wachen sollen ihn hereinbringen.«

Ardo entfernte sich, und nach einer Weile kam ein Soldat mit einem Adam unbekannten Mann herein, der einen langen weißen Mantel trug. Der Mann warf sich vor Adam auf die Knie nieder, und der Soldat trat zwei Schritte zurück, wartete aber, auf die Lanze gestützt.

»Was willst du?« fragte der Proktor.

»Ich will Euch um eine Gnade anflehen, Herr.«

»Was für eine Gnade?«

»Daß Ihr mir erlaubt, den Leichnam des Toten in mein Grab zu legen.«

»Admis? Admis' Leichnam?«

»Ja, Herr.«

»Was war er für dich?«

»Nach dem Gesetz ein Fremder, Herr.«

»Danach habe ich nicht gefragt.«

»Er war mein Lehrmeister ...«

»Nach deiner Kleidung zu urteilen, bist du ein vermögender Bürger. Admis war der Lehrmeister der Armen.«

»Nicht nur, Herr. Unter seinen Jüngern waren sogar Schriftgelehrte.«

»Die, die ihn zum Tod verurteilt haben.«

»Seine Jünger waren nicht darunter.«

»Schande über sie!«

»Admis hat ihnen vergeben.«

»Er hat allen vergeben.«

»Wißt Ihr das, Herr?«

»Ich weiß es. Ich weiß, daß sie ihn nicht verteidigt haben, nicht vor Gericht und nicht vor der Menge. Wo waren sie denn damals? Ich habe ihn verteidigt, obwohl ich nicht sein Jünger bin. Jetzt, da es ihn nicht mehr gibt, werden sie ihn vergessen.«

»Niemals, Herr ...«

»Und wenn sie sich auch an ihn werden erinnern können, sterben sie bald und die Erinnerung an ihn wird erlöschen.«

»Seine Jünger schreiben nieder, was er tat und verkündete. Unter ihnen gibt es gebildete Menschen, Herr.«

»Sie schreiben es nieder. Mögen sie das schreiben, was er gesagt hat, denn von dem, was er getan hat, werden sie nicht allzu viel begreifen, auch wenn sie imstande sind, es getreulich wiederzugeben.«

»Sie waren bei ihm, Herr, und was sie schreiben, ist die Wahrheit.«

»Wahrheit! Es ist die Wahrheit, aber nicht die ganze Wahrheit. Es sind Bruchstücke der Wahrheit. Wie werden sie denn erklären, daß gerade ich ihn verteidigt habe, ich, der Statthalter des Imperators, oder daß sich Kario umgebracht hat, als Admis noch lebte, ja noch nicht einmal verurteilt war ... Und viele andere Tatsachen?«

»Sie werden die Wahrheit berichten, Herr.«

»Ja, die Wahrheit ... Nimm seinen Körper, lege ihn in dein Grab! Ich bewillige es.«

»Dank und Ehre sei Euer, Herr.«

»Führ diesen Mann hinaus!« sagte Adam zu dem Soldaten und begab sich in seine Räume zurück.

Er verriegelte die Blockierung, trat aber nicht ans Steuerpult, sondern ans Fenster, hinter dem Dunkelheit herrschte. Er stand so eine Weile da, bis jemand hinter ihm ein Wort sagte.

»Chef, störe ich nicht?«

Er wandte sich um.

»Nein, Micho.«

»Verzeih, daß ich meinen Transfer hierher zu dir vorgenommen habe ...«

»Das macht nichts. Jetzt ist alles ohne Bedeutung, wir brechen das Unternehmen ab.«

»Ich habe den schwachen Gravitationsschlag und die Polarisierung durchgeführt.«

»Ich sehe es.«

»Und was weiter?«

»Entferne seinen Körper ... Ich will nicht, daß er auf diesem Planeten verfault.«

»Danach habe ich nicht gefragt, Chef.«

»Aber ich rede davon.«

»Ja, Chef.«

»Warst du dort – dabei?«

»Wie befohlen. Ich habe auf die Auslösung des Schlages und die Polarisierung gewartet.«

»Dauerte sein Sterben lange?«

»Wie bei einem Menschen. Er hat nach dir gerufen, Herr.«

»Und ich war nicht dabei ...«

»Es war nicht notwendig, Chef. Alles ist so abgelaufen, wie es sollte.«

»Du bist der Ansicht, daß es genauso hätte geschehen sollen.«

»Admus hat es mir bestätigt. Was nun, Chef?«

»Ich sagte, wir brechen das Unternehmen ab.«

»Und der atomare Schlag?«

»Die Kernexplosion wird es nun nicht geben.«

Er drang in das Rauschen der Ströme ein, in die Spannungsschwankungen und Trägerwolken, die die Barrieren der Potentiale durchdrangen. Die Deckel der Bunker klafften auseinander, die kuppelförmigen Abdeckungen schoben sich zurück und nichts trennte mehr die Kegel der Raketen vom Himmel. Die Triebwerke heulten im Feuer der ausströmenden Gase auf, die elektronische Sicherung wurde entriegelt, und die zusammengeballten Verbrennungsgase des Abschusses erfüllten den Bunker mit einer weißen Wolke und ergossen sich in Säulen über die Ebene. Die Raketenkegel schoben sich über den Rand der Silos, und ihre Feuerräder erhoben sich in die Luft. Die Farbe des Himmels war nicht gekennzeichnet, und auch das von den Abgasen des Abschusses rund um die Silos verbrannte Gras war nicht gekennzeichnet. Weiße Schwaden huschten in den Himmel und wurden zu leuchtenden Punkten auf den Bildschirmen der Radargeräte. Diese Punkte beherrschten den Bildschirm.

SIOP griff zweitausendfünfhundert Ziele auf dem Territorium des Gegners an. Weiße Kondensstreifen in der Atmosphäre hinter sich herziehend, überquerten sie die Küstenlinie und flogen über den Ozean.

In den Städten und Dörfern unten lebten Menschen. In den Gärten blühten Blumen und auf den Feldern reifte das Getreide. Oder vielleicht herrschte dort Winter, und der fallende Schnee bildete auf den Wegen Verwehungen. Das war auch nicht gekennzeichnet. Die Punkte der Raketen verschwanden von den Radarschirmen und alles war wie früher, nur die Raketensilos waren leer. Der dritte Planet wirbelte weiter um seine Sonne und durch seine weiße Wolkenhülle leuchteten stellenweise blaue Meere und Landmassen, seit Millionen von Jahren unverändert, beobachtet von Reisenden aller Epochen aus dem Kosmos, jenen, die diesen Planeten besuchten und besuchen werden, und das vermochten auch die Tausende von Kernsprengköpfen nicht zu ändern, die von den Raketen über den Ozean getragen wurden. Der Planet als kosmisches Objekt entzog sich noch den Handlungen der eigenen Zivilisation.

Die Zivilisation jedoch, jener Teil von ihr, in deren Richtung die Raketen gelenkt worden waren, hörte in der gleichen Sekunde zu existieren auf, als die Raketen die Silos verlassen hatten. Das, was noch ihre Gegenwart war, war gleichzeitig Abbildung der Vergangenheit, die in wenigen Minuten unweigerlich zu Ende gehen würde.

Die Menschen wußten noch nichts davon und lebten die letzten Minuten ihres Lebens vor der Apokalypse wie bisher, doch waren auch solche darunter, die es wußten. Sie wußten es und kannten das »Gesetz des Spiegels«, das die Paroxysmen der Vernichtung in der gleichen Weise in entgegengesetzter Richtung zurückwirft, wie bisher die Radarstille den raketenlosen Himmel in der gleichen reziproken Stille reflektiert hatte.

Sie wußten es, bevor sich noch auf den leeren Radarschirmen neuerlich die Punkte von Raketen abzeichneten. Bloß bewegten sich diese Punkte in entgegengesetzter Richtung über den Ozean.

RSIOP antwortete auf die Maßnahmen SIOPs. Die Punkte kamen näher, und ihre Höhe nahm ab. Raketen, wie sie auf Flammensäulen aufgestiegen waren, überschritten die Küstenlinien. Jetzt lösten sie sich in kleinere Punkte auf und schleuderten die Atomsprengköpfe aus, die voneinander unabhängig die einzelnen Ziele erreichten. Auf der Küstenlinie leuchteten binnen Sekunden die Punkte der ersten Städte auf, zerstört wie die vor zweitausend Jahren, bloß bei einer höheren Temperatur des Atomblitzes, einem stärkeren Orkan und der vielfachen Verseuchung: alle vom Fortschritt dieser Zivilisation verbesserten Kennzahlen der Vernichtung. Dann verschwanden die Städte von den Karten auf den Bildschirmen und nur die Einwohnerzahlen, multipliziert mit der Wahrscheinlichkeit der Verseuchung, leuchteten auf. Die Lichtblitze, heller als die Sonne, die weißen Wolken der Pilze und die lokalen Orkane, die den Boden bis zum Felsgrund abtrugen, wurden nicht näher markiert. Und die Städte tiefer im Inneren des Kontinents begannen aufzuleuchten.

Auf den anderen Kontinenten erloschen die Blitze, und es geschah gar nichts mehr. Die Instrumente, die die konventionelle Zeit maßen, waren stehengeblieben, und allein in einer von Mehrfachsprengköpfen geschlagenen Schneise zählte man Dutzende Millionen von Toten.

Er war in blauer Luftwaffenuniform mit den Rangabzeichen eines Obersten im Computersaal in den tief unten in einem mächtigen Bergmassiv ausgebrochenen Stollen, auf der tiefsten Ebene, Hunderte Meter tief unter Fels und bewehrtem Beton.

Er näherte sich dem Bildschirm und stellte sich hinter den Rücken des Radartechnikers. Es war der Captain, ein kleingewachsener, wortkarger Mann, den er manchmal im Schwimmbad traf, wenn dieser die Ehefrau in der Sonne zurückgelassen hatte und zur Bar kam, um etwas Kaltes zu trinken. Sie unterhielten sich dann über die letzten Ligaspiele, überdies wußte er, daß er angelte.

Er blickte über seine Schulter zum Bildschirm auf.

»Der Simulationsverlauf im Single Integrated Operating Plan* ist zu Ende«, las er die »Ergebnisse« ab. Zahlenkolonnen und Kommentare leuchteten auf.

»Na und, wie war es diesmal?« fragte er.

»Wieder hat die Ostküste etwas abbekommen, aber ein Teil der Installationen ist erhalten geblieben. Man muß die Abschußrampen von RSIP etwas konzentrischer belegen, doch was die Verluste angeht, ändert das nicht viel. Lediglich die Kennzahlen der unzerstörten Installationen werden etwas besser. Um eine wirkliche Änderung herbeizuführen, müßte man einen besseren Überraschungseffekt erzielen.«

»Nichts ist einfacher, als das RSIP-Programm etwas zu modifizieren.«

»Sie scherzen, Oberst«, der Captain sah zu Parakletos

---

* Nach einem Artikel von R. Rosenbaum in *Harper's*.

hinüber, »wir haben sowieso keine Garantie, daß RSIOP den Gegner getreu modelliert.«

»Eine solche Garantie gibt es in der Simulation nicht. Die Verifizierung der Computersimulation bleibt immer nur der Wirklichkeit vorbehalten.«

»Eben. Und das ist das Problem.«

»Haben Sie, Captain, nicht den Eindruck, daß das, was Sie tun, nur ein Spiel mit Ihnen selbst ist? Sie schleudern immer bessere Geschosse in den optimalen Konfigurationen hinüber, und sie werden zurückgeworfen und kehren zurück wie von einer Wand. Ein Squash mit Raketen, für Tausende von Kernsprengköpfen gleichzeitig.«

»Nicht unbedingt! Die Zahl der Verluste wächst auf beiden Seiten. Ich kann aber die unseren relativ minimieren, wenn auch die absoluten immer noch ziemlich hoch liegen.«

»Nicht darin besteht das Problem. Sie kommen nicht einmal auf den Gedanken, daß es so etwas wie ein Schachspiel mit sich selbst sein könnte, Unterhaltung für die Eingeweihten dieser Zivilisation und nichts weiter, daß RSIOP bloß eine Widerspiegelung von SIOP ist, und daß dies bloß eure Vorstellungen von etwas sind, wovon ihr keine Ahnung habt, und daß das, was ihr spielt, nur eine Karikatur ist, nicht das Modell eines echten Spiels, und überhaupt spielt ihr es nur deswegen, weil es euch an Weitblick und Phantasie mangelt.«

»Oberst ...«

»Ich weiß. Sie werden meine Zweifel melden müssen. Dann werden sie mich hier rausschmeißen und vorzeitig in Pension schicken.«

»Das ist unmöglich, Oberst.« Major Masmo lehnte sich gegen das Schaltpult. »Solche Spezialisten wie Sie haben wir nicht viele. Ihre umfassende Erfahrung und dazu noch gerade dieser Weitblick und diese Phantasie sind bei unserer Arbeit unersetzlich. Nicht wahr, Captain? Und das, was Sie sagen wollten, Oberst, daß diese Spiele nur in der formalisierten Konfliktsprache durchgeführt werden, also eine im Vergleich zur Wirklichkeit zurechtgestutzte Wahrheit sind, darum geht es doch gerade. Das ganze Spiel ist in dieser Sprache beschrieben. Unsere Züge, die Züge des Gegners, all das sind Sätze in dieser Sprache, doch in einer Sprache mit exakt bestimmter, festgelegter Syntax und Semantik.«

»Die Semantik wird vernachlässigt«, erklärte Parakletos.

»Ich kann mich damit nicht einverstanden erklären. Bedenken Sie bitte, daß SIOP, seine Sprache, von der Wirklichkeit bestimmt wird. Gerade SIOP wird einen echten Konflikt durchspielen, und es kann nur in dieser Sprache handeln, denn es kann nicht anders, also kann auch die Wirklichkeit, die es simuliert, nicht anders sein.«

»Es bleibt noch der Zufall und außerdem der Gegenzug, der in dieser Sprache nicht unbedingt Platz finden muß.«

»Das ist das Risiko der Simulation, Oberst. Das ist wenig wahrscheinlich, aber möglich. Zum Glück wird das Schicksal von Starken und Mutigen geprägt, die kein Risiko scheuen. Wie Sie schon bemerkt haben, Captain, schwinden also alle Zweifel, wenn die richtige Fachsprache verwendet wird. Unsere Diskussion ist eine gewöhnliche Diskussion unter Spezialisten. Und unser Oberst ist kein typischer Offizier, sondern ein Humanist, und manchmal spricht er in Gleichnissen.

Übrigens bringt die Erörterung solcher Fragen keinen von uns der Beförderung näher, und ich habe gehört, daß unser Kommando Ihre Beförderung, Captain, beantragt hat. Kein Wunder bei Ihren Qualifikationen und diesem schweren Dienst.«

»Ich hätte es melden sollen, Major.«

»Aber Captain. Ich verstehe Sie nicht. Die Dienstvorschrift Nr. 35–99, Abschnitt 7, ›Praktische Grundsätze menschlicher Nützlichkeit‹, der die Art und Weise angibt, wie man verborgene psychische Störungen entdeckt, teilt die Verdächtigen in vier Kategorien ein: ›Argwöhnische‹,

›Impulsive‹, ›Depressive‹ sowie solche »mit Bewußtseinsstörungen‹. Ob Oberst Parakletos argwöhnisch ist? Nein! Er hatte es niemals nötig, argwöhnisch zu werden. Ist er impulsiv? Nein! Er hat einen Impuls vorgetäuscht, doch ist er seiner Natur fremd. Befindet er sich im Zustand einer Depression? Nein! Das, womit er sich beschäftigt, erfüllt möglicherweise nicht alle seine Hoffnungen, doch ein Schachspieler, der simultan auf einer unendlichen Anzahl von Schachbrettern spielt, verfällt nicht in Depressionen, sogar dann nicht, wenn sich die Lage auf einem Brett nicht ganz nach seinen Erwartungen entwickelt. Hat er Bewußtseinsstörungen? Und hier lautet die Antwort ebenfalls nein, impliziert sie doch die Existenz der Zeit, die es doch in Wirklichkeit gar nicht gibt. Ich gebe zu, manchmal, wenn ich all dem zusehe, was mich hier umgibt, besonders wenn ich mir selbst zusehe, hege ich gewisse Zweifel in dieser Frage, doch die angeführte Folgerung zieht einen eindeutigen Schlußstrich darunter. Daher können Sie unseren Oberst keiner der hier in der Dienstvorschrift aufgezählten Kategorien zurechnen. Ich kenne ihn übrigens unvorstellbar lange, und man kann über ihn viel sagen, doch in diesem Fall ist die Sache eindeutig . . .«

»Sie kennen unsere Vorschriften aber ausgezeichnet, Major«, meinte der Captain anerkennend.

»Jeder Offizier unserer Streitkräfte sollte sie genauso kennen. Ich bin nicht der Meinung, daß Sie Anschuldigungen erheben würden, die jeder Grundlage in der Dienstordnung entbehren.«

»Sie haben wohl recht, Major. Im Lichte der Vorschriften sind die Aussagen des Obersts ganz und gar zulässig . . .«

»Dieser Dienst hier wirkt sich auf mich so aus.«

»Sie werden mißtrauisch, Captain. Davon ist in den Vorschriften die Rede. Diesmal werde ich aber keine Meldung machen, es sei denn, eine Ihrer unverantwortlichen Reden oder Handlungen würde mich dazu zwingen.«

»Ich habe meinen Fehler bereits eingesehen, Major. Verzeihen Sie mir, Oberst.«

»Wiederholen Sie lieber den Zug, Captain. Sie sehen doch, daß uns der Oberst nicht einmal zuhört.«

Parakletos trat an die grauen Metallkästen des Computers heran, in dessen Innern in Spannungsfluktuationen Tausender von Atomkriegen zitterten, Tausender Varianten des Weltuntergangs, von denen möglicherweise nur einer wahr war. Er wußte, daß der Computer, wenn dort oben in der Befehlsgalerie in der oberen Stockwerksebene die Entscheidung fiele und die Kegeln der echten Raketen in den wirklichen Himmel blickten, hier unten nur eines seiner Spiele austragen würde, das sich von Hunderten anderer, Tag für Tag ausgetragener Spiele nicht unterscheiden würde, es würde lediglich das letzte Spiel sein.

So stand er da und starrte in die grauen Schränke des Computers, als ihn Masmo im Neonlicht am Arm berührte.

»Noch einige solche Sprüche, Sir, und du wirst Frührentner mit der gebührenden Pension, und ich bleibe hier unten allein. Aufgrund unserer langjährigen Bekanntschaft hege ich den Verdacht, daß dir eine solche Lösung vielleicht zusagen würde.«

»Deswegen treibst du dich hier ständig in meiner Nähe herum, Masmo, und mischst dich in alles ein.«

»Wunderst du dich, daß ich bei dir sein will, Sir?«

»Ich wundere mich, daß du die ganze Zeit hier bei mir bist.«

»An einem solchen Ort gehört es sich wohl. Am Ort endgültiger Entscheidungen sollte ich bei dir sein. Vielleicht wirst du endlich den Entschluß fassen, und ich muß dann hier sein, bevor du es dir überlegst.«

»Laß mich in Ruhe, wenigstens für eine Weile! Ich will allein sein! Das ist nicht deine Stadt! Es gibt tausende derartiger Städte.«

Schon am frühen Morgen, als er aus der Garage fuhr, wartete Masmo auf ihn. Lächelnd wie immer stand er in seiner blauen Luftwaffenuniform an den Torzaun gelehnt. Der Dienst begann früh, so daß er noch vor Sonnenaufgang aufstehen mußte, um Kaffee zu trinken, zu duschen und sich zu rasieren. Dann ging er zur Garage hinunter, ließ den Motor seines Autos an, fuhr vor das Garagentor, und als er hinausging, um die Garage zuzusperren, bemerkte er Masmo. Er tat so, als sähe er ihn nicht, schloß das Tor, stieg in den Wagen und wollte losfahren. Doch Masmo war schon bei ihm.

»Guten Tag, Sir. Ich habe auf dich gewartet«, sagte er.

»Ich sehe es.«

»Ich möchte dich bitten, daß du mich zum Stab mitnimmst.«

»Du hast deinen eigenen Wagen, nicht?«

»Es geht mir um deine Gesellschaft, nicht ums Benzinsparen, Sir.«

»Steig bitte ein«, sagte er und fuhr über die schmale asphaltierte Zufahrt zur Hauptstraße. Er bemerkte, daß Nebel aufgekommen war. Das Gras entlang des Asphaltes glänzte in der Sonne, dort, wo die langen Schatten der Bäume und Häuser nicht hingelangten.

Masmo schwieg, bis sie auf die Hauptstraße einbogen, zur Kommandozentrale im Inneren des Berges. Der Berg war von hier aus als kuppelförmiges Massiv sichtbar, das sich am Horizont vor dem Hintergrund höherer Gipfel und des blauen Morgenhimmels aufstapelte.

»Warum ist es jetzt anders, Sir?« fragte Masmo, als sie schon Geschwindigkeit gewonnen hatten.

»Ich verstehe nicht, Masmo.«

»Früher war alles einfacher. Du selbst hast die Gerechten ausfindig gemacht, und wenn du wolltest, griff deine Flotte ein. Jetzt aber bebaust du, wenn du manchmal hier bist, die Beete, und die Einheiten Michos huschen heimlich vorbei und verstecken sich still im Weltraum, um nicht bemerkt zu werden.«

»Denn so ist diese Zeit.«

»Sie war immer so, und es war doch anders. Jetzt machen sie selbst das, was du tatest, und sie tun es unbeholfen und ohne die dir eigene Mäßigung. Kümmerte dich das zweite Experiment nicht mehr?«

»Nein, Masmo.«

»Und ich gebe dir am Abbruch dieses Experiments die Schuld. Denn du tatest es ohne Überzeugung, nicht wie beim erstenmal in Atlantis.«

»Damals zerstörte die Flotte die Stadt nicht, die sie zerstören sollte. Und seither vernichtet sie keine Städte mehr. Denn dort gab es die Wahl, die Wahl der Handlungsweise. Seit damals gestalten sie die Welt allein. In dieser Zeitwelle. Was geht dich das übrigens an, Masmo? Du bist der Narr des Augenblicks, dessen, was sich gerade abspielt, und die Zeit überlaß mir ... und ihnen.«

»Welch Übermaß an Gnade, Herr, liegt in deinen Worten. Der Possenreiter sollte seinen Herrn unterhalten, und du bist wahrscheinlich müde.«

»Nein, Masmo. Ich störe sie bloß nicht. Sie dürfen sich entwickeln, immer schneller gegen den Strom schwimmen, und wenn sie es schaffen, können sie einst aus der Zeit hinaustreten und in die Überzeitlichkeit vorstoßen. In der Überzeitlichkeit gibt es Platz für alle möglichen Zivilisationen dieses Kosmos. Bloß wollen sie, können sie das?«

»Wozu brauchen sie das, Herr. Ist es denn so, wie es ist, so schlimm?«

»Es ist deine einzige ewige Rolle, sie davon zu überzeugen zu suchen, daß es so, wie es jetzt ist oder war, am besten sei. Aber sie wissen nicht, daß es anders ist, daß es anders sein kann.«

»Ja, diese ihre Hoffnungen — und diese deine Hoffnungen, Herr.«

»Ihre Hoffnungen gehen dich nichts an. Und noch ein Wort, und ich halte den Wagen an, und du gehst zu Fuß weiter.«

»Natürlich habe ich bloß gescherzt. Du nimmst alles gleich ernst, was ich sage, Herr. Ich habe wirklich gescherzt.«

»Mach dich über die Hoffnung nicht lustig, Masmo. Du brauchst sie nicht weniger als sie.«

Der Berg war schon nahe. Die Ebene hörte auf, und es begannen niedrige Hügel, die die Straße serpentinenförmig erklomm. Der Motor arbeitete jetzt lauter, denn er mußte den Höhenunterschied bewältigen.

Die Straße führte am Berggipfel vorbei, und sie fuhren auf den Parkplatz, ein hunderte Meter langes Betonquadrat, das bis zu den Bäumen reichte, von denen sie jetzt auf allen Seiten umgeben waren. Die Bäume wuchsen auch auf dem Berghang, der den Parkplatz auf der anderen Seite begrenzte. Auf den mit weißer Farbe markierten Abstellplätzen standen Autos. Die die Einfahrt bewachenden Soldaten ließen sie ohne Kontrolle durch, doch dort, wo sie stehengeblieben waren, kam eine andere Wache auf sie zu.

Sie stiegen aus. Der Offizier der Patrouille salutierte und überprüfte ihre Papiere. Dann gingen sie mit den Soldaten der Streife in den mit Beton ausgekleideten, nach oben führenden Eingang.

Das Innere des Gangs, der mit Neonlicht beleuchtet wurde, das das Tageslicht imitierte, verengte sich und ging in einen mit Stahlplatten ausgekleideten Stollen über, der zu mächtigen Stahltoren hinunter führte. Er wußte, daß diese Tore weder Giftgase noch Strahlung durchließen und einem direkten Treffer von fünf Megatonnen Stärke standhielten. Die Aufschrift darüber verbot das einzelne Hineingehen.

Zusammen mit Masmo näherten sie sich den Wachsoldaten an den Panzertoren, jungen Burschen mit blauen Baretten und Revolvern in den Holstern.

Dort erfolgte die nächste Kontrolle. Erst danach schoben sich die Torflügel, von innen mit einem Mechanismus gesteuert, auseinander. Sie passierten die Tore zusammen mit anderen Offizieren, die schon vorher auf das Öffnen gewartet hatten.

Hinter den Toren befand sich der beleuchtete, verglaste Kommandostand im Halbstock des in zwei Ebenen unterteilten Raumes. Auf der unteren Ebene arbeiteten die Stabsoffiziere an Bildschirmen und Computerkonsolen. Die ganze Wand vom Boden bis zur Decke, die sowohl von unten wie auch vom verglasten Halbstock aus sichtbar war, wurde von einer Informationstafel eingenommen. Auf einer Seite flimmerte darauf die Ziffer 1 auf der Fünf-Punkte-Skala der Einsatzbereitschaft. Es war also alles ruhig.

Sie gingen durch den Stand, vorbei an dem großen, schwarzen, jetzt leeren Drehsessel des Befehlshabers und zwei Telefonapparaten, einem goldenen und einem roten. Durch den ersten käme der Befehl für den Anfang vom Ende; mit dem zweiten würde er vom Befehlshaber weitergeleitet. Sie passierten den Kommandostand durch einen verglasten Gang und gingen zu den Aufzügen. Noch tiefer, auf der untersten Ebene, erzeugte der Computer das Bild der Welt, das im Kommandostand gesehen werden sollte.

Beim Verlassen des Aufzuges blickte er sich im Saal um, und als er am Bildschirm den Captain bemerkte, ging er zu ihm hin, weil er noch etwas Zeit hatte, bis er mit Major Masmo zusammen im Kommandostand die Agenden für den Raketenstart übernahm. Seit langem nahmen sie mit Major Masmo die Plätze hinter den Schaltpulten ein, in denen die Schlüssel steckten, die das Eintreten des Weltuntergangs garantierten.

Adam näherte sich den Pulten, die den Transfer steuerten, und ließ sich im Sessel unter dem Helm nieder. Die Dämmerung hinter dem Fenster hellte sich auf, und die Sonne des zur Neige gehenden Tages zeichnete den roten Umriß des Fensters auf die weißen Bodenfliesen. Der Wind vom Mittelmeer stellte sich nicht ein, und er sah unten die reglosen Kronen der Palmen. Er wußte, daß er bald den Trompetenklängen, die in dieser Stadt den Tag beschlossen, lauschen würde.

Er steckte den Kopf in die Helmöffnung, und schon war er mit Admus verbunden.

»Ende der Operation, Admus«, dachte er.

»Ende«, bestätigte Admus. »Er hat dich gerufen, doch du warst nicht dort.«

»Ich weiß.«

»Wann kehrst du zurück?«

»Ich bleibe hier, Admus.«

»Wozu?«

»Ich werde diese Einrichtungen zerstören. Ich werde den Kontakt für immer unterbrechen und Mensch bleiben. Nichts weiter.«

»Wozu, Adam?«

»Um zu begreifen, Admus. Um die Zeit bis zum Ende kennenzulernen.«

»Das hast du nicht nötig ...«

»Er hatte es auch nicht nötig und hat es doch getan. Er hat die Zeit kennengelernt, Admus. Er begriff das, was ich nicht kennenlernte, was ich nicht mehr verstehen konnte. Seine Wahl fiel so aus, wie sie eben ausfiel. Aber warum? Was habe ich bei meinem Aufenthalt hier versäumt? Was ihr Wesen ausmacht, dazu reicht das Wissen nicht. Vielleicht wollte er es mir damals mitteilen, als er nach mir rief, doch damals war ich nicht bei ihm.«

»Du willst also bleiben. Es wird nicht leicht sein, Adam. Es ist schwer, ein Mensch zu sein.«

»Ich weiß.«

»Du bleibst unter dem Volk, das dich haßt, weil du der Statthalter des Imperators bist. Schließlich wird dich der

Imperator in die Hauptstadt rufen lassen und in die Verbannung schicken. Alt und krank wirst du in einem kleinen Provinznest als Mensch sterben. Du wirst alles erleben, was des Menschen Los ist, wirst die Ohnmacht erfahren, die du bis vor kurzem nicht kanntest, Zweifel, den Verlust von Fertigkeiten des Körpers und des Gedankens, schließlich wirst du sterben. Und das ist unnötig, denn diejenigen, die dich nicht vergessen werden, werden an den Statthalter denken, einen von denen, die aus Feigheit und Verblendung Admis haben töten lassen. Einige wenige werden dich zwar ehren, doch immer als Statthalter des Imperators. Folglich wirst du namenlos bleiben.«

»Möge es so geschehen. Ich werde nur Mensch bleiben. Nicht ich bin derjenige, den sie nicht vergessen werden.«

»Wie du willst. Du bist ein Mensch, Adam. Es wird keinen Kontakt mehr geben.«

Adam erhob sich aus dem Sessel. Dann brach der Stuhl entzwei. Steuerpult und Befehlsstand der Flotte lösten sich auf. Größere Bruchstücke zersprangen, von der Eigenspannung der Materie von innen her auseinandergerissen, bis alles in einen feinen Nebel zerstäubte, der langsam verdampfte und den scharfen Geruch von Ozon hinterließ. Die Kammer brauchte er nicht zu entriegeln, denn die Blockierung gab es auch nicht mehr.

Er befand sich am Schaltpult für den Raketenabschuß. Er saß im Sessel, und vor ihm befand sich ein Pult mit lediglich einer Öffnung, in der ein großer Messingschlüssel steckte. Der Schlüssel hatte drei Positionen. Die letzte rechts war die Startposition. In einer Entfernung von dreieinhalb Metern daneben befand sich genau das gleiche Pult, und dahinter saß Masmo. Um die Abschußrampe in Gang zu setzen, mußte man die beiden Schlüsseln in beiden Pults gleichzeitig in die Stellung »Start« drehen und sie gegen den Widerstand der Feder noch zwei Sekunden in dieser Stellung festhalten.

Der Widerstand der Feder war ziemlich groß und die Schlüsseldrehung erforderte einige Muskelkraft und das Festhalten in dieser Lage auch Willenskraft. Das Abfeuern des Megatonnentodes sollte kein bloßer Reflex sein, keine individuelle Entscheidung, sondern mußte auch ein gleichzeitiger Entschluß des Bedienungsmannes am Nachbarpult sein. Und Masmo hatte den Entschluß schon längst gefaßt. Schon vor Jahrhunderten, und er hatte die Hoffnung nicht aufgegeben. Mit der Muskelstärke des Armes hielt er seinen Schlüssel in der Position »Start«.

»Dreh den Schlüssel, Herr!« bat er.

Dieser antwortete nicht.

»Damals, als du Atlantis zerschmettert hast, kanntest du kein Schwanken.«

Er antwortete nicht.

»Es dauert nur ganz kurz, Herr. Von hier aus wirst du nichts sehen. Ich weiß, daß du unangenehmen Anblicken aus dem Wege gehst.«

Er antwortete nicht.

»Möglicherweise bist du wie damals indisponiert. Es ist dir lieber, wenn es andere für dich tun.«

Er antwortete nicht.

»Dann wird alles wieder von vorne beginnen können. Nur eine Bewegung. Nichts weiter.«

Er antwortete nicht. Sein Schlüssel blieb in der Stellung »Aus«.

Er berührte den Schlüssel nicht einmal. Er existierte in der Zeit und wartete.

Er wartete, bis die letzten Bruchstücke der zerschmetterten Allmacht verdampft waren und von der Überzeitlichkeit nur ein unerreichbarer Traum übriggeblieben war. Er war ein Mensch und nur ein Mensch.

Als er auf die Terrasse hinaustrat, hatte sich die Sonne schon rot verfärbt und berührte fast die Gipfel der Berge. Die Glut des Tages hatte nachgelassen, aber der abendliche

Wind war noch nicht aufgekommen, und er spürte in der Luft den duftenden Rauch der Herdfeuer der Stadt, auf denen man jetzt das Abendessen zubereitete. Von seinem Platz hoch oben blickte er über enge Gassen, Dächer und weiße Mauern, die aus dem Gestein der Berge der Umgebung erbaut waren. Er sah zu den Bergen hin, wo die Häuser nicht mehr zu sehen waren und sich im Grün der Olivenhaine verloren, das in der heraufziehenden Dämmerung verschwand.

Er dachte daran, daß ein weiterer Tag um war ...